Mae Twm Clwyd yn

HOLLOL

WYCH

(am wneud RHAI pethau)

Gan Liz Pichon

Addasiad Gareth F. Williams

RILY

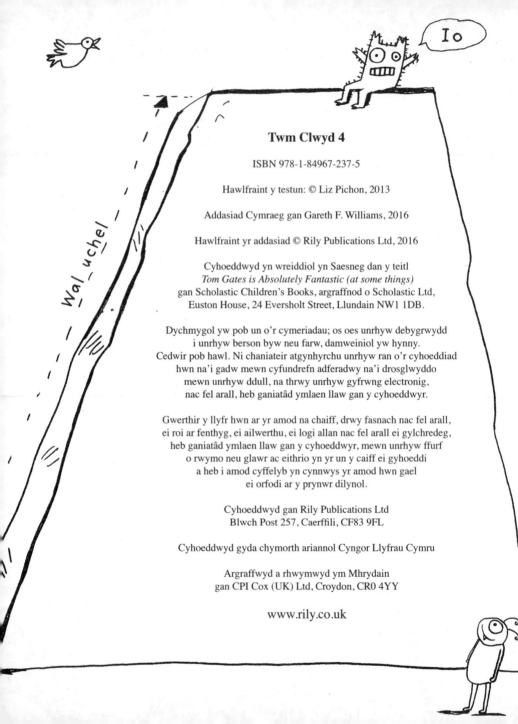

Twm Clwyd 4

ISBN 978-1-84967-237-5

Cyhoeddwyd yn wreiddiol yn Saesneg dan y teitl
Tom Gates is Absolutely Fantastic (at some things)
gan Scholastic Children's Books, argraffnod o Scholastic Ltd,
Euston House, 24 Eversholt Street, Llundain NW1 1DB.

Cyhoeddwyd gan Rily Publications Ltd
Blwch Post 257, Caerffili, CF83 9FL

Cyhoeddwyd gyda chymorth ariannol Cyngor Llyfrau Cymru

Argraffwyd a rhwymwyd ym Mhrydain
gan CPI Cox (UK) Ltd, Croydon, CR0 4YY

www.rily.co.uk

Basa'n **DDA** gen i petai'r ysgol

yn dechrau am **un ar ddeg** y bore,

NID am chwarter i **naw**

Sblych

(sy'n rhy gynnar o lawer i mi).

Dwi'n RWTSH am godi mewn pryd.

Mae'n cymryd OESOEDD
i f'ymennydd ddechrau gweithio
a mwy fyth o amser i fy
llygaid agor.

Mae Mr Ffowc (fy athro)
WASTAD yn HOLLOL EFFRO.

Rŵan hyn mae o'n sefyll o flaen y dosbarth,
yn **BRYSUR** ac yn FYWIOG wrth sgwennu
geiriau ar y **bwrdd** sy'n gneud
affliw o ddim synnwyr o gwbwl.

Meddai fo,

**"Rydach chi'n siŵr o fod yn ceisio dyfalu
pam dwi'n sgwennu'r holl eiriau yma."**

(Ymm, ydan braidd.)

"Oes yna rywun eisiau YCHWANEGU eu gair diddorol eu hunain at y rhestr yma?"

(Dwi'n deud dim.)

Yna mae rhywun yng nghefn y dosbarth yn deud, TEISEN, syr.

Sy'n ddewis go dda (mae pawb yn hoffi teisennau, yn dydyn nhw?)

Mae Mr Ffowc yn sgwennu "TEISEN" ar y bwrdd.

Yna Marc Clwmp yn awgrymu TRYCHFIL ac mae Jenni Jones eisiau PENSEL

(sy DDIM mor ddiddorol â hynny, ond mae Mr Ffowc yn ei nodi beth bynnag).

DRWY'R amser dwi'n brysur yn meddwl PAM nad ydi Mr Ffowc byth yn edrych wedi blino?

4

FALLA oherwydd bod ei **LYGAID** o mor **ANFERTH** a **LLYDAN**, ac yn  SYLLU'n slei drwy'r amser?

Mae gan **M**ae gan **M**r Ffowc, heb air o gelwydd, y LLYGAID

BARCUD

MWYAF SLEI YN Y BYD.

Dyna i chi be dwi'n ei feddwl.

Ond **NID** ei feddwl o ydw i yn unig.

Dwi'n EI DDEUD O –

YN UCHEL.

"LLYGAID BARCUD SLEI."

"Mae'n ddrwg gen i, Twm, wnest ti ddweud rhywbeth?"

Mae Mr Ffowc yn rhythu'n reit gas arna i.

 "Naddo, syr."

"Roedd yn swnio fel tasat ti'n  **dweud LLYGAID BARCUD SLEI, Twm."**

(Meddylia, Twm ... meddylia ...)

"Naddo, syr."

"Be'n union ddwedest ti, felly?"

"Dwedais ... LLYGOD bach mewn PEI, syr."

Ha!
Ha!
Ha!

Sy'n gneud i bawb yn y dosbarth CHWERTHIN

(pawb ond y fi).

Mae Mr Ffowc yn SBIO'N gam arna i cyn deud,

"Mae gen ti DRI gair yn fan'na, Twm – dewisa un."

PANIG mawr, ⟹ cyn deud

PEI

sy'n cael ei sgwennu'n syth ar y bwrdd.

Yna mae Mr Ffowc yn egluro'r hyn mae o am i ni i neud nesa.

"Baswn i'n hoffi i chi gyd sgwennu stori fer sy'n cynnwys CYMAINT o'r GEIRIAU hyn sydd ar y bwrdd ag y medrwch chi.

Caiff y stori fod am unrhyw beth yr hoffwch chi. Felly byddwch yn greadigol!"

Grêt ... tawn i wedi gwbod HYNNY, baswn i wedi dewis gair sy fymryn yn fwy defnyddiol ar gyfer sgwennu stori, fel AC neu MAE.

Yn saff i chi, nid PEI.

Un ~~PEI~~ amser maith yn ôl.

Roedd ~~yna~~ ~~PEI~~ ~~MAWR.~~

RHESTR GEIRIAU

STORMUS

ANFERTH

RHEDEG

SYRPRÉIS

TEISEN

NEIS

BACH

TRYCHFIL

PENSEL

RHEWGELL

PEI

(Ni ddwedodd Mr Ffowc fod yn rhaid i'r stori neud unrhyw synnwyr, sy'n eitha peth, wir i chi – i ffwrdd â ni.)

10

CYMRAEG

FY STORI FER Gan Twm Clwyd

Roedd hi'n noson STORMUS pan roddais i SYRPRÉIS i fy chwaer biwis Delia drwy REDEG bath ANFERTH iddi.

Roedd hi'n hapus iawn, nes i mi ddeud wrthi fod yna DRYCHFIL yn eistedd ar ei phen. Awgrymais y gallai hi ei olchi o'i phen yn y bath. Ond trodd Delia'n flin a cheisio *taro'r* trychfil gyda'i PHENSEL yn lle hynny.

O'r diwedd, wedi iddi fynd am ei bath, helpais fy hun i'r BEI flasus oedd yn y RHEWGELL. Roedd yno DEISEN hefyd. Bwyteais y rhan fwya ohoni. Ond oherwydd fy mod i'n frawd NEIS, gadewais ddarn BYCHAN iawn i Delia. (Dyma fo.) ➡

Y diwedd.

Dyna hynna wedi'i neud.

Unwaith i mi orffen fy stori, mae fy meddwl →😊

yn crwydro at bethau eraill, fel y **CŴNSOMBI**

(enw band Derec a finne).

Penderfynais arbrofi drwy dynnu lluniau

gwahanol fathau o **gŵn** a'u gneud nhw'n

SOMBIS, 'mond am newid bach.

Fel arfer, fel hyn y byddaf
yn tynnu'u lluniau nhw.

Grrrrr

Ond heddiw, dwi'n meddwl y gwna i dynnu llun un newydd. Dyma **gi sombi ANFERTH,**

Ci sombi boncyrs,

ci sombi bychan,

ci sombi selsig ...

Yn dechrau cael blas arni ydw i pan mae Mr Ffowc yn rhoi stop ar fy nhynnu lluniau'n gyfan gwbwl...

13

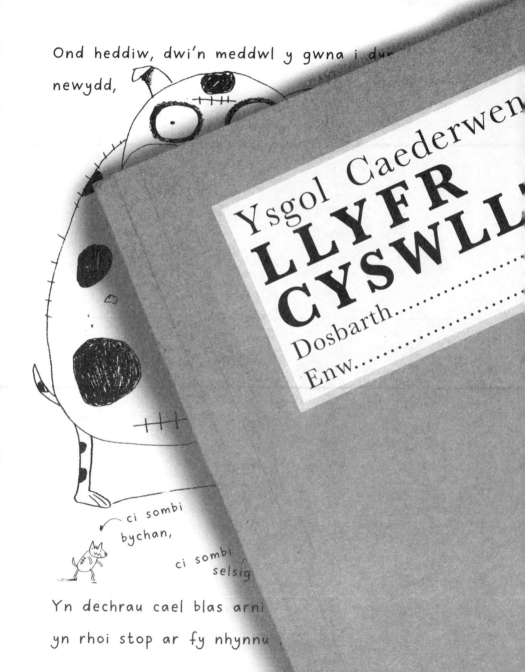

Ond heddiw, dwi'n meddwl y gwna i dun
newydd,

ci sombi
bychan,
ci sombi
selsig

Yn dechrau cael blas arni
yn rhoi stop ar fy nhynnu

Ysgol Caederwen
**LLYFR
CYSWLL**
Dosbarth..............
Enw..............

"Twm, gan dy fod yn AMLWG wedi gorffen sgwennu dy stori ac â digon o amser i dynnu lluniau, mi gei di ddosbarthu llyfrau cyswllt NEWYDD yr ysgol i'r dosbarth."

"IAWN, syr."

...Sblych.

Mae Carwyn Campbell  (sy'n eistedd wrth f'ochor i) yn DDIAMYNEDD iawn. Mae'n gweld y llyfrau cyswllt newydd ac yn ceisio CIPIO un oddi ar y pentwr.

"Dwi isio fy llyfr cyswllt RŴAN, Twm... ty'd â fo."

Sy braidd yn bowld.

Felly dyma fi'n deud, "Dal dy ddŵr, Carwyn, mi gei di d'un di mewn da bryd." Yna cymeraf lyfr cyswllt o ben y pentwr a'i basio fo dros ei ben a'i roi o i EFA PARRI.

Wps

"Dyma ti, **eFA** – dy lyfr cyswllt di."

Mae hyn yn gwylltio Carwyn. Meddai fo, "Brysia, dwi ISIO fy llyfr cyswllt i RŴAN!"

Mae o'n tynnu ar fy siwmper, sy'n hynod annifyr. Felly dwi'n ei anwybyddu fo gan ddosbarthu'r llyfrau o GEFN y dosbarth, a gweithio'n raddol i'r tu blaen.

Erbyn i mi gyrraedd Carwyn, mae o fwy neu lai'n rhwygo'i wallt o'i ben gyda chynddaredd. "Ac yn ola, ac o'r diwedd – dy lyfr cyswllt di."

Mae Carwyn ar fin ei gipio oddi arna i pan mae **M**r Ffowc yn deud, **"Paid â chipio, Carwyn."**

Yn hollol! Felly dyma fi'n rhoi ei lyfr cyswllt i Carwyn yn **ARAF** ....a r a f.....d e e e e e e g....

(Sy'n ddigri iawn ac yn gneud Carwyn yn fwy **BLIN** Oedd yn werth ei weld!)

Os ydan ni wedi gorffen ein storïau (fel rydw i ☺), meddai Mr Ffowc, yna dylen ni sgwennu ein henwau yn y llyfrau ac yna sbio'n **OFALUS** trwyddyn nhw gan ATGOFFA ein hunain o'r holl **DDIGWYDDIADAU ARBENNIG** sy'n digwydd yn yr ysgol y tymor hwn.

"Mae'r llyfrau cyswllt hyn er mwyn
i chi nodi gwybodaeth **BWYSIG** – erbyn
pryd mae eich gwaith cartref i gael ei orffen,
er enghraifft."

(Nid fy syniad *i* o wybodaeth bwysig.)

Byseddaf drwy dudalennau cyntaf
y llyfr. Yr un hen stwff ysgol
sy arnyn nhw, fel:

Polisi Ymddygiad Ysgol Caederwen
(Wyddwn i ddim bod gynnon ni un.)
Calendr
Dyddiadau gwyliau'r ysgol ☺
(Pwysig IAWN.)

Dyddiadau adroddiadau ysgol (☹ Nid mor bwysig.)

Ffeiriau ysgol

Dyddiau mabolgampau

Lluniau ysgol – bla

bla bla.

Mae hefyd ychydig o dudalennau gwag ar gyfer NODIADAU. Rhoddaf groes drwy'r gair a sgwennu yn ei le. Ond yna dwi'n sylwi ar rywbeth wedi'i nodi'n glir IAWN yr o'n i wedi anghofio bob dim amdano:

DWdLS

Digwyddiadau Arbennig		
BLWYDDYN PUMP - Gŵyl Hwyl yr Ysgol		
LLUN		
MAWRTH		
MERCHER		

SY'N **NEWYDDION**

GWYCH!
Rhoddaf bwniad i **eFA**

gan ddeud, "HEI, ro'n i wedi

anghofio am ŴYL HWYL YR YSGOL! Grêt,

yntê?" ac meddai hi,

"Dwyt ti ddim wedi rhoi d'enw

ymlaen yn barod?"

Ac meddaf fi, "NADDO."

"Chest ti mo'r llythyr WYTHNOSAU'N ôl

yn sôn am yr ŵyl?"

"Ymm, NADDO."

"Dwi'n cymryd felly nad ydi

dy rieni wedi llenwi'r ffurflen, nac

wedi mynd i'r cyfarfod am yr ŵyl chwaith?"

"Naddo a naddo," meddaf fi.

DYDI hyn ddim yn swnio'n addawol o gwbwl.

A minnau'n dechrau meddwl na fedrai pethau fod yn waeth, dyma Carwyn yn ymuno yn y sgwrs.

 "Fyddi di ddim yn mynd felly, Twm. Mae'r llefydd yn llawn dop erbyn hyn. Hen dro."

SUT WNAETH HYN DDIGWYDD?

Ceisiaf gofio be goblyn wnes i efo'r LLYTHYR pwysig IAWN hwnnw am ŴYL HWYL YR YSGOL.

Meddylia ... meddylia

Iawn, dwi newydd gofio.

Rhaid bod **eFA**'n meddwl fy mod i'n rêl ffŵl am golli fy llythyr (wel, ei golli o mewn ffordd) – sblych.

Meddaf wrthi, "Dwi ddim yn arfer bod mor anghofus."

"O, wyt, Twm," meddai **eFA**.

(Sy fymryn yn WIR.)

Os [na] cha i fynd ar yr ŵyl hwyl, mi fydda i'n colli stwff DA fel:

☺ dringo (dwi ddim yn ddrwg efo hynny)

☺ Nofio (da)

☺ Caiacio (sef math o ganŵio dwi 'rioed wedi'i neud o'r blaen - swnio'n dda)

☺ Adeiladu STWFF (swnio'n anhygoel)

Bob blwyddyn, mae'r plant sy wedi bod yn yr ŵyl hwyl WASTAD yn dod yn ôl a deud wrth BAWB mor FFANTASTIG yr oedd hi.

(Sy'n gallu bod yn dipyn o boen.)

Roedd yr ŵyl yn anhygoel! BRILIANT! Mor wych!

D_{wi} **wirioneddol** isio mynd. (Sblych)

Mae **eFA**'n awgrymu fy mod yn gofyn i M_r Ffowc am ffurflen arall. Syniad da. ☺

Codaf fy llaw " 🖐 " i fyny a deud,

> Mr Ffowc, dwi newydd weld
> GŴYL HWYL YR YSGOL yn fy llyfr
> cyswllt – ydi hi'n rhy hwyr i mi roi
> f'enw ymlaen?

E_{drycha} M_r Ffowc arna i o'i ddesg a deud,

"Nac ydi, gobeithio, Twm. Mi ro i ffurflen arall i ti. Tria beidio colli hon, wnei di?"

(Sut oedd o'n gwbod fy mod i wedi'i cholli?)

Amser chwarae

Cyfle o'r diwedd i weld Derec, fy mêt gorau, a gofynnaf iddo am ŴYL HWYL YR YSGOL. Medda fo, "Ro'n i'n meddwl dy fod di'n mynd?"

"Nac ydw," atebaf, "mi wnes i anghofio, a falla'i bod hi'n rhy hwyr rŵan."

Meddai Derec, "Fydd o ddim cymaint o hwyl hebddot ti, Twm."

Chwara teg iddo fo, ond dydi hynny ddim yn helpu'r sefyllfa. Mae'n edrych fel petai PAWB yn mynd – heblaw fi.

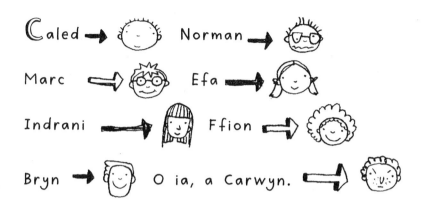

Caled → Norman →

Marc ⇒ Efa →

Indrani → Ffion ⇒

Bryn → O ia, a Carwyn. ⇒

Waeth pryd dwi'n 👁 👁 gweld Carwyn, mae o'n mynnu f'atgoffa ei FOD O'N MYND a dwi DDIM (ETO).

Dwi'n mynd i'r Ŵyl ...

Fel tasa hynny | ddim | yn ddigon drwg, mae pob un o'r athrawon fel tasan nhw'n gneud ati i siarad am ŴYL HWYL YR YSGOL hefyd.

Bydd hwn yn handi os ydach chi'n mynd i'r ŴYL HWYL.

CAMPAU HWYLIOG

Mae Mrs Williams hyd yn oed yn crybwyll yr ŴYL HWYL mewn gwers FATHEMATEG!

27

"Mae GŴYL HWYL YR YSGOL yn para am DRI DIWRNOD. Mae yna NAW o wahanol weithgareddau i'w cyflawni, felly faint ohonyn nhw allwch chi eu gwneud bob dydd?"

(Yr ateb ydi DIM UN yn f'achos i ... oherwydd falla na fydda i'n mynd.)

Ar y ffordd adref, mae Derec yn gallu gweld fod mod wedi cael llond bol. Felly dyma fo'n trio gneud i mi chwerthin drwy adrodd hanes yr hyn a ddigwyddodd yn ei ddosbarth o heddiw.

"Roedd rhywun – wn i ddim PWY – wedi TYNNU llun DIGRI o Mrs Nap wedi'i gwisgo fel ARTH, fel y gwnaeth hi ar gyfer Diwrnod y Llyfr."

A gofynnais, "Gest ti bryd o dafod, Derec?"

(Ro'n i'n amau mai fo wnaeth.)

"Cael a chael oedd hi, ond llwyddais i LANHAU'r bwrdd cyn i Mrs Nap ddod i'r dosbarth a'i weld o a deud wrtha i am eistedd i lawr ac i beidio â thynnu lluniau ÊLIYNS ar y bwrdd!"

Mae Derec yn dangos fersiwn bychan i mi o'r llun y tynnodd o.

Mrs Nap

Jîniys go iawn, ac mae o yn 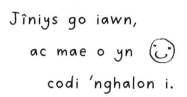 codi 'nghalon i.

Ond y peth CYNTAF a'r mwyaf PWYSIG i mi ei neud ar ôl cyrraedd adra ydi SICRHAU fod MAM neu DAD yn llenwi'r ffurflen ar gyfer GŴYL HWYL YR YSGOL.

Os gwna i anghofio mynd â hi i'r ysgol ETO, yna fydd dim gobaith gen i o gael mynd.

(A basa hynny'n DRYCHINEB i mi.)

Pan dwi'n cyrraedd adra, sylwaf fod yna griw o bobol yng ngardd y tŷ drws nesa.
Sy braidd yn OD.

Mae Mam yn meddwl hynny hefyd, oherwydd gallaf ei gweld 👀 hi'n *sbecian* drwy fwlch bychan rhwng llenni'r stafell fyw.

"👋" Mae hi'n dal i'w gwylio nhw, hyd yn oed pan dwi'n chwifio fy llaw arni.

Hen, hen ddynes o'r enw Mrs O'Leary oedd yn arfer byw yn y tŷ hwnnw. Pan o'n i'n fach, roedd hi'n arfer deud wrtha i,

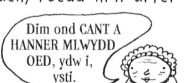

Dim ond CANT A HANNER MLWYDD OED, ydw i, ysti.

Ro'n i'n meddwl fod hyn yn **W I R** nes i Delia 🕶️ ddeud wrtha i fod NEB cyn hyned â hynny ac mai dim ond **FFŴL** fasa'n ei choelio hi.

🕶️ "Sy'n golygu mai ffŵl wyt ti, Twm," 🙁 meddai hi droeon, yn rêl chwaer fawr hoffus.

31

Rai misoedd yn ôl, aeth Mrs O'Leary i fyw yn nes at ei theulu, gan adael y tŷ'n **wag** tan rŵan...

HWYL!

Felly cymerais gryn dipyn mwy o amser i agor drws tŷ NI er mwyn cael sbec slei ar y bobol drws nesa.

Mae dynes yno gyda chlipfwrdd. Mae hi'n sgwrsio efo dyn a dynes arall, a hogan (sy falla o'r un oed â mi, dwi ddim yn siŵr).

Maen nhw i gyd ar fin mynd i'r tŷ pan mae'r hogan yn troi a'm dal i'n SYLLU arni. Mae'n TROI'I THRWYN arnaf i gychwyn...

 Ac YNA yn tynnu'r

STUMIAU MWYAF HURT!

Be?

Do'n i ddim wedi disgwyl hynny.

Hmmmmmm.

Mi FEDRWN i ei hanwybyddu hi.

NEu ...

Gallwn i neud HYN ⬇ YN ÔL ARNI HI!

BLAAAAAA!!

Yna mae hi'n tynnu RHAGOR o stumiau arna i, gan wthio'i hen dafod reit allan. Rhoddaf fy mag ar lawr a defnyddio DWY law i DYNNU fy llygaid i lawr a gwthio nhrwyn i fyny. ⬆

(Gwnaf dwrw uchel – YGGG!
– i goroni'r holl effaith.)
Dyna ti, Madam.

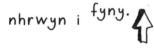

Mae Mam yn CURO'R ffenest ac yn trio fy nghael i STOPIO gan fod PAWB yn SBIO arna i rŵan.

Tap tap

Am gywilydd

Dwi isio gweiddi "HI DDECHREUODD HYN!" ond erbyn i mi orffen sbio ar Mam, mae'r ddynes gyda'r clipfwrdd wedi cau'r drws ffrynt ac mae pawb wedi mynd i'r tŷ.

Pan af i mewn i'r tŷ, mae Mam yn edrych braidd yn **flin.**

"Be oedd ar dy ben di'n tynnu'r STUMIAU HURT, Twm?"

Yr hogan 'na ddechreuodd o!

Meddai Mam "Dydi hynna DDIM yn esgus. Dylet ti fod wedi'i HANWYBYDDU hi yn lle copïo hi a *THYNNU'R* fath

WYNEB FFIAIDD!"

Mae Delia adre'n gynnar o'r coleg ac yn *SLEIFIO* drwy'r drws yn UNION pan mae Mam yn deud "WYNEB FFIAIDD!"

Sy'n amseru gwael iawn oherwydd mae hi'n CHWERTHIN fel ffŵl a deud,

 "Dwi'n cytuno — mae o yn WYNEB FFIAIDD."

"Cau dy geg, Delia — nid sôn am hwnna oedd Mam."

 "Be — dy WYNEB FFIAIDD?"

Mae Mam yn cywiro Delia drwy ddeud, "Tynnu wyneb FFIAIDD oedd Twm, does ganddo fo ddim WYNEB ffiaidd."

"Ia, wel – pawb â'i **farn**," meddai hi.

"Dyna, ddigon!" meddai Mam; yna mae'n ychwanegu, "Ta waeth, newyddion pwysig – mae 'na bobol yn edrych ar y tŷ drws nesa."

"Cymdogion newydd?" hola Delia.
"Dwi ddim yn siŵr eto," meddai Mam.
Mae Mam yn bod yn hynod FUSNESLYD. Mae'n dweud mai RŴAN ydi'r amsar gora iddi hongian ychydig o ddillad ar y lein tu allan.

(Sy'n golygu go iawn mai isio busnesu mae hi a gwrando ar be bynnag sy ganddyn nhw i'w ddeud.)

Ond mae hynny'n IAWN, achos tra bo Mam yn trio peidio sbecian ar y cymdogion, gallaf ddiflannu i fyny i'm stafell gyda phaced o greision.

Mae'r stafell yn fwy blêr nag arfer gan fy mod i braidd yn hwyr yn mynd i'r ysgol fore heddiw. **S**grialaf yn fy mag am y FFURFLEN honno ges i gan **M**r Ffowc.

(Mae yma'n rhywle, dwi'n siŵr.)

Mae fy sylw'n cael ei gipio gan ddau dda-da a lithrodd i mewn i'r leinin.

Dwi'n gallu eu TEIMLO nhw yno ... dwi ond isio cael hyd i ffordd o'u CAEL nhw allan ...

Mymryn i'r chwith ...yna i'r dde... BRON IAWN ... a! Dyna ni.

Mmmm, da-da annisgwyl ydi'r DA-DA gorau! Bron iawn cystal â chael hyd i ragor o siocledi cyn i neb arall eu gweld nhw.

IA!

Mae papurau'r da-da braidd yn **LUDIOG** a dyna lle ydw i'n trio'u tynnu nhw'n ofalus pan sylweddolaf fy mod i'n gallu gweld reit i mewn i'r ardd drws nesa. Bu hi'n wag ers tro – felly do'n i ddim wedi edrych arni ryw lawer tan rŵan. Mae'r dyn y tu allan yn pwyntio at y TO tra bo'r ddynes arall yn edrych o gwmpas yr ardd. Mae'r hen hogan wyneb-powld honno'n brysur yn waldio'r blodau gyda'i ffon.

(Fydd Mam ddim yn hoffi hynny). Mae hi wedi bod allan yn hongian **UN** lliain sychu llestri ers **HYDOEDD** ac yn trio sbecian dros y ffens a gwrando ar yr un pryd.

$\mathbb{D}$wi'n dal i fod yn gwylio pan ddaw Delia i'r ardd i ofyn rhywbeth i Mam. O nabod Delia, mentraf mai rhywbeth fel, **Ga i chydig o arian?**

$\mathbb{Y}$na mae Delia'n digwydd edrych i fyny gan fy nal i'n syllu arni. Mae hi'n meimio'r geiriau

WYNEB FFIAIDD

arna i gan ysgwyd ei phen.

O'r gora, Delia – mi ddangosaf i ti sut beth ydi wyneb ffiaidd GO IAWN. Gwasgaf fy wyneb REIT yn erbyn y gwydr nes bod fy nhrwyn i wedi'i wasgu (er mwyn iddi fedru gweld bob cam i fyny fy ffroenau). Gwnaf lygaid CROES, ac mae fy wyneb yn ddi-siâp hefyd. Falla i mi fynd braidd dros ben llestri wrth wasgu fy wyneb yn erbyn y ffenest ...

...gan anghofio bob dim am **M**am

a'r cymdogion newydd, sy'n

ȯ͞ȯ **rhythu** arna i

ETO.

(Sblych.)

Mae Mam yn rhoi'r gorau i hongian y lliain

sychu llestri ac yn dod yn ôl ~~ôl~~ i mewn

i'r tŷ. Mae'n rhaid i mi addo **PEIDIO**

â thynnu rhagor o stumiau.

Iawn, Mam.

Rydan ni'n dau i fyny'r

grisiau pan mae cloch y drws yn canu

(sy'n fy achub am y tro).

Bob, fy nhaid, sydd yno, wedi galw heibio ar

ei sgwter tra bo

Nain Clwyd yn siopa.

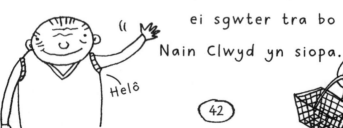

Helô

Tra
la
la!

(42)

Mae Mam yn cynnig paned iddo fo a dwi'n eu dilyn nhw, oherwydd yn ein tŷ ni:

TE + Taid = BISGEDI

Hola Bob, fy nhaid, "Pwy oedd yr holl bobol yna ddaeth allan o'r tŷ drws nesa?"

Meddai Mam, "Falla mai ein cymdogion newydd oeddan nhw – neu falla ddim, os llwyddodd Twm i'w dychryn nhw."

Meddai Taid, "Roedd yr hogan ifanc honno braidd yn bowld. Gwthiodd ei thafod allan a thynnu hen stumiau HURT arna i am ddim rheswm o gwbwl."

A meddaf inna'n syth bìn,

"Dach chi'n gweld, Mam? Dyna be wnaeth hi i minna hefyd."

merch

Ond meddai Mam, "Ia, ond mi ddeudais i wrthat ti am beidio â thynnu stumiau GWIRION yn ôl arni hi, yn do?"

Meddai Taid, "Hei, Twm. Dwi'n fodlon betio nad oedd dy stumiau gwirion di hanner cystal â'r rhai dynnais i!"
Mae Mam yn edrych ar Taid ac yn ysgwyd ei phen. Mae stumiau Taid yn werth eu gweld.

Meddai Mam, "Plis, Taid - wnaethoch chi ddim tynnu'r stumiau ofnadwy rheini o flaen ein cymdogion NEWYDD ni, gobeithio?"

Dwi'n meddwl mai $\mathbb{DO}$ ydi'r ateb.

Arwr – dyna be ydi Taid.
Arwr.

Mae fy **llyfr cyswllt** i fod i f'ATGOFFA am ddyddiadau a gweithgareddau PWYSIG sy'n digwydd yn yr ysgol.

A chalendr y GEGIN ydi'r lle ar gyfer nodi stwff TEULUOL fel penblwyddi 🎂 a gwyliau ☀, er mwyn i BAWB allu gweld be sy'n digwydd (a pheidio ag anghofio).

Sblych

Ond gan amlaf, dyma sut dwi'n cael gwbod be sy'n digwydd ...

TWM, CER I BARATOI AR GYFER _ _ _ _ _ _ _ _ _ _ _ _ _

Llenwa'r gofod yma.

Gall hwn fod yn ymweliad â'r ddau gefnder neu ben-blwydd Modryb Alis ... **W**eithiau byddaf yn nodi rhywbeth yn fy rhan i, fel:

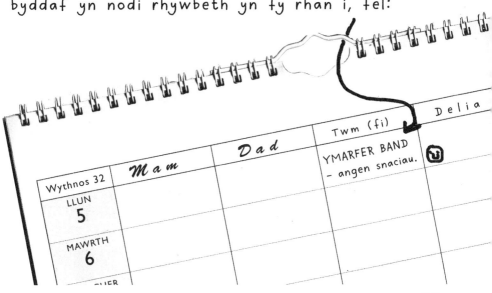

Wythnos 32	M a m	D a d	Twm (fi)	D e l i a
			YMARFER BAND – angen snaciau.	
LLUN 5				
MAWRTH 6				

Er hynny, mae Mam yn dal i orfod f'atgoffa i.

YMARFER BAND – angen snaciau.

Droeon eraill byddaf yn cael **HWYL** wrth nodi pethau ychwanegol dan enwau pobol eraill. Fel hyn:

	Mam	Dad	Twm (fi)	Delia
thnos 32		←	YMARFER BAND – angen snaciau.	🔒
LLUN 5	Siopa			
MAWRTH 6	Nôl Nain o IOGA			
MERCHER 7		Parti gwaith gyda'r nos		
IAU 8				
GWENER 9				
SADWRN 10		CADW'N HEINI dechrau heddiw		
SUL 11		A gorffen YMA Ha! Ha!		

Cymerodd **wythnos GYFAN**
i Dad sylwi ar hwn..

Yy?

48

Meddai fo wrtha i,

"Hoffwn i ti wbod, Twm, nad corff CYFFREDIN ydi hwn, ond TEML."

Yna mae'n codi cywilydd mawr arna i drwy smalio fod ganddo gorff fel Arnold Schwarzenegger neu rywun tebyg.

Mae Mam yn chwerthin am ei ben. Meddai hi,

"Teml? Mwy fel y *Temple of Doom*," cyn croesi BISGEDI i Ffranc oddi ar ei rhestr siopa.

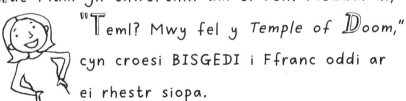

49

"Dwi'n cymryd nad wyt ti isio i mi brynu bisgedi rhag ofn iddyn nhw ddifetha dy 'DEML', Ffranc?"

Ac meddai Dad: Mae edrych cystal â hyn yn gofyn am gryn dipyn o waith caled, wyddoch chi.

Rydan ni'n ei adael yn edmygu ei fysls ac yn gneud "press-ups" ar y wal, ac i ffwrdd â ni i'r

WWFF!

ARCHFARCHNAD.

100-101-102

Ô diar.

Byddaf fel arfer yn osgoi siopa efo Mam – ond am ryw reswm, dydi siopa BWYD ddim mor ddrwg.

Tria hwn

Na!

MM, TEISENNAU

Yn y CAR, mae Mam ar fin gyrru i ffwrdd pan mae Yncl Cefin yn parcio wrth ein hochr ni.

Allan â fo i ddeud helô, felly mae Mam yn agor ei ffenest.

Haia, Rita!

Meddai fo, "Digwydd gyrru heibio ro'n i, felly dyma fi'n penderfynu holi a ydi bob dim yn dal i fod yn iawn?"

Mae Mam ar goll.

"Mae popeth yn GRÊT, diolch, Cefin."

"Chwara teg i ti am gynnig helpu, Rita."
Mae'r OLWG ar wyneb Mam yn deud yn blaen
nad oes ganddi UNRHYW glem am be mae
Yncl Cefin yn paldaruo. Ond mae hi'n dal i ddeud,

"Paid â sôn, DIM problem o gwbwl, Cefin."
Yna mae Yncl Cefin yn gofyn i MI...
"A does dim ots gen titha chwaith, Twm?"

Mae Mam yn GWGU arna i
rhag ofn i mi ddeud rhywbeth hurt – fel,
"Sgynnon ni ddim clem am be dach chi'n
malu awyr, Yncl Cefin."

(Basa hynny ddim yn dro cyntaf.)

52

Felly dyma fi'n smalio ac yn deud,

"Does dim ots gen i o gwbwl."

Drwy lwc, mae Yncl Cefin yn ychwanegu...

"Mae'r hogia'n edrych ymlaen yn fawr at gael aros efo chi."

Ac YN SYDYN mae Mam yn cofio be sy'n digwydd. "Wrth gwrs! Mae o i GYD ar *galendr y gegin.*"

(Dydi o ddim.)

Edrycha Yncl Cefin ar ei wats.

"Af i ddeud helô wrth Ffranc tra dwi yma."

"Rydan ni newydd ei adael o'n EDMYGU ei fysls," meddai Mam wrtho fo.

"Fydd o ddim wrthi'n hir iawn felly!"

Mae Yncl Cefin yn dal i CHWERTHIN ar ei jôc ei hun wrth i ni yrru i ffwrdd. Meddai Mam wrtha i, "Caiff Dad syrpréis o weld Yncl Cefin, yn caiff?"

(Caiff yn wir.)

Rhan o'r hwyl wrth siopa bwyd efo Mam ydi *sleifio* ambell i "snac ychwanegol" i mewn → → →→ i'r troli y tu ôl i'w chefn.

Fydda i ddim yn cael eu cadw nhw bob tro, fodd bynnag.

Dwi ond yn prynu petha hanfodol, Twm.

Ond mae bisgedi siocled YN hanfodol.

Treuliaf y rhan fwyaf o'r daith yn y car yn deud wrth Mam mor WYCH dwi wedi'i neud yn yr ysgol yr wythnos yma (am newid). Gan groesi 'mysedd y bydd hi mewn hwyliau da IAWN ac yn fodlon prynu ambell i drêt i mi.

Ond dwi ddim yn deud yr **HOLL** stori am fel roedd CARWYN CAMPBELL wedi gneud ei orau i DDIFETHA fy narllen drwy RYTHU arna i am amser hir efo LLYGAID ➡CROES.

(Does dim angen clywed am ragor o stumiau gwirion ar Mam.)

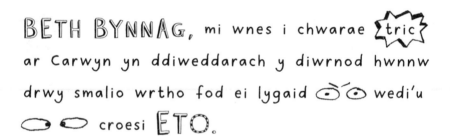

BETH BYNNAG, mi wnes i chwarae ✦tric✦ ar Carwyn yn ddiweddarach y diwrnod hwnnw drwy smalio wrtho fod ei lygaid ◑◐ wedi'u ⬭ ⬭ croesi ETO.

"Paid â gneud llygaid croes, Carwyn," dywedais wrtho.

"Dydyn nhw ddim yn groes," medda fo.

"Ydyn, GO IAWN ... ac os na roi di'r gorau iddi, falla gwnân nhw aros fel 'na

"Sut dwi 'mond yn gallu gweld UN ohonot ti os ydyn nhw wedi'u CROESI, 'ta?" gofynnodd i mi.

A dwedais wrtho fo, "Mae HYNNA'N arwydd DRWG IAWN. Mae'n golygu bod dy lygaid di'n dechrau AROS fel yna'n barod."

(Ew, un da ydw i am falu awyr.)

Roedd ar Carwyn isio gweld drosto'i hun, felly gofynnodd am gael mynd i'r tŷ bach.

Pan ddaeth o'n ei ôl, meddai,

"Mae fy llygaid i'n BERFFAITH.

Dwi ddim am gael fy nal gan y tric YNA eto." Awgrymais ei fod o rywsut wedi'u WOBLO nhw'n ôl i'w lle wrth iddo fo sefyll.

Ha! Ha!

(Doedd dim angen clywed hanesion fel'na ar Mam.)

Felly dyma fi yn yr **ARCHFARCHNAD** efo Mam a'i RHESTR hi (ac mae hi'n hoffi GLYNU at hwn).

Meddai Mam, "Diolch byth fod Yncl Cefin wedi f'atgoffa bod dy ddau gefnder yn dod i aros acw.

Does gen i DDIM syniad PRYD maen nhw'n dod, chwaith. Nid yn rhy fuan, gobeithio." (A finna.)

"Mi edrycha i ar *galendr y gegin* - mae'n RHAID bod nodyn yn rhywle." Ond does 'na DDIM, yn bendant, a dwi'n gwbod pam.

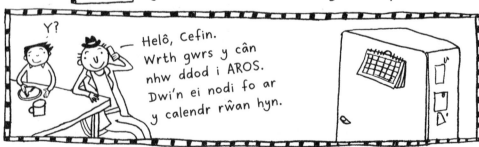

Y?

— Helô, Cefin.
Wrth gwrs y cân
nhw ddod i AROS.
Dwi'n ei nodi fo ar
y calendr rŵan hyn.

58

Dyma ni'n cipio troli a mynd am yr adran  FFRWYTHAU

a LLYSIAU.

Mae *Cynnig Arbennig* ganddyn nhw

ar FAG MAWR o FANANAS
"SŴPYR SÊFYR"

Mae Mam yn rhoi un yn y troli gan ddeud, "Braidd yn wyrdd, ond mi ddôn nhw."

Fel arfer byddaf yn aros nes bod yna gryn dipyn o bethau ar waelod y troli cyn trio sleifio trêt neu ddau odanyn nhw.

Ond dwi ddim yn cael y cyfle oherwydd mae Mam wedi ESTYN ...

59

arall. "**B**ron i mi anghofio, mae gen i'r rhestr fach yma i ti ei llenwi os ydi hynny'n iawn, Twm?"

FY Rhestr I + Fy 🛒 NHROLI I = TRÊTS I Mi Trêts

"Wrth gwrs, Mam, gallaf neud hynny."

"**Y**ma fydda i, felly ty'd yn ôl yma'n syth a dim chwarae o gwmpas, iawn?"

Dydi hon ddim yn **ARCHFARCHNAD FAWR** – dwi'n gwbod lle i fynd felly wnaiff hyn ddim cymryd fawr o amser. **D**wi'n mwynhau gofalu am fy nhroli fy **hun**.

Oddi ar y **rhestr** mae'n rhaid i mi gael...

○ Grawnfwyd [FFLÊCS] – digon hawdd ✓

○ Past siocled [SIOCO] ✓

(NID ar y rhestr ond yn FARGEN).

○ Sierbet pefriog ✓

(nid ar y rhestr – ond ar

gyfer y ddau gefnder).

○ Creision cylch nionyn

(nid ar y rhestr – ✓

i mi a'r ddau gefnder).

○ [BLAWD CODI] Bag o FLAWD CODI – ia, iawn. ✓

○ [Siwgr Mân] Bag o SIWGR MÂN – iawn. ✓

(Tydi siopa'n *hawdd*?)

○ [Papur Toiled MAWR] ↓PECYN ANFERTH O BAPUR TŶ BACH

(y pecyn mwyaf).

Edrychaf i fyny ac i lawr yr eil ond

doedd gen i **DDIM** syniad fod yna GYMAINT...

...o wahanol fathau!

Cwiltiog, hynod o feddal, wedi'i ailgylchu, moethus, rhesymol, pecynnau o ddau – chwech – deuddeg – gwahanol liwiau. Darllenaf y rhestr eto – MAINT ANFERTH, sydd yno. Ond maen nhw i gyd yn edrych yr un maint i mi. Dwi ar goll. Nes i mi weld y pecyn MWYAF i mi ei weld erioed.

(ia, dyna fo.)

Ceisiaf dynnu'r pecyn i lawr oddi ar y silff. Dydi o ddim yn drwm, 'mond yn lletchwith i'w ddal. Dwi'n cael trafferth i'w gario fo a dwi ddim yn gallu gweld ⊙ ⊙ lle dwi'n mynd na lle dwi wedi gadael fy nhroli chwaith.

Mae yma'n rhywle – a, dyma ni.

63

Dyma fi'n GWASGU pecyn ANFERTH o bapur tŷ bach i mewn i'r troli a chychwyn yn ôl at lle mae Mam yn aros amdana i.

Ond ar y ffordd, rhaid oedd gneud gwyriad sydyn i **gipio** pecyn  o wafferi caramel a'u gwasgu nhw i'r troli.
DYNA NI - wedi gorffen. ☺

Clywaf rywun yn galw

Twm! Mam, mae'n siŵr, felly dyma fi'n rhoi troad sydyn i'r troli a THARO reit i mewn i...

EFA PARRI!

"Be wyt ti'n ei neud yma, **EFA**?" gofynnaf.

Meddai EFA, "'Run peth â chdi, Twm ... neu mi O'N i cyn i ti FACHU fy nhroli i."

"**Y**Y! Wnes i?"

"**D**o, mi wnest ti, mi welis i chdi. Mae ein siopa ni o dan y pecyn **ANFERTH** acw o bapur tŷ bach."

"O ydi ...

mae o hefyd."

MAWR IAWN
PAPUR TOILED
ANFERTH

(Dyna gywilydd.)

"**R**ydan ni angen cyfnewid trolïau, felly dilyna fi."

(**ARCHFARCHNAD** o **GYWILYDD** – dyna be ydi'r lle 'ma i mi.)

Meddai **eFA**, "Dyna i ni LWYTH o bapur tŷ bach sy gen ti."

(**O grêt** – mae hyn yn ddigon **ANNIFYR** yn barod heb orfod sgwrsio am BAPUR TŶ BACH hefyd.)

Felly dwi ond yn deud, "Roeddan nhw ar fy rhestr i." Gan chwifio fy rhestr ati.

Mae mam **eFA**'n sgwrsio efo fy mam i, sy'n sefyll wrth ymyl fy nhroli, sy'n **LLAWN** o stwff ⌐NAD⌐ oedd ar y rhestr.

Meddai mam **eFA**, "Mae'n beth digon hawdd ei neud, paid â phoeni, Twm!"

"Ro'n i'n methu dallt pam dy fod di wedi cymryd cyhyd," medda Mam. (Mae hi wedi gweld y da-da ychwanegol sy gen i.)

Meddaf fi, "Mae o i gyd ar gyfer y ddau gefnder... O, oreit, mae rhywfaint i mi."

Meddai **eFA**, "Rwyt ti wedi gwasgu ein  tomatos ni, Twm, a'r bara."

(Wwwps -

dwi wedi, hefyd.)

Meddai mam **eFA**, "Mi gawn ni rai eraill."

Drwy lwc, dydi'r papur tŷ bach ddim wedi

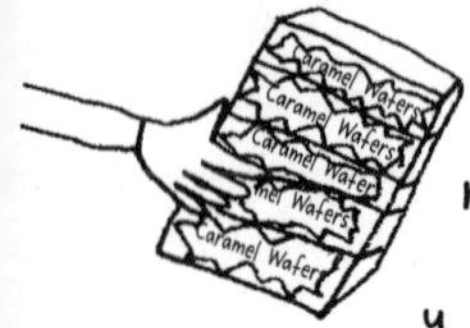

gwasgu fy wafferi caramel. Cydiaf ynddyn

nhw a'u gwthio nhw i mewn i'n troli ni,

y tu ôl i'r papur tŷ bach unwaith eto.

Ond rywsut neu'i gilydd llwyddaf i *rwygo'r*

plastig sy'n dal y rholiau efo'i gilydd.

Mae DAU rolyn yn syrthio allan

gan FOWNSIO ar hyd ----y llawr.

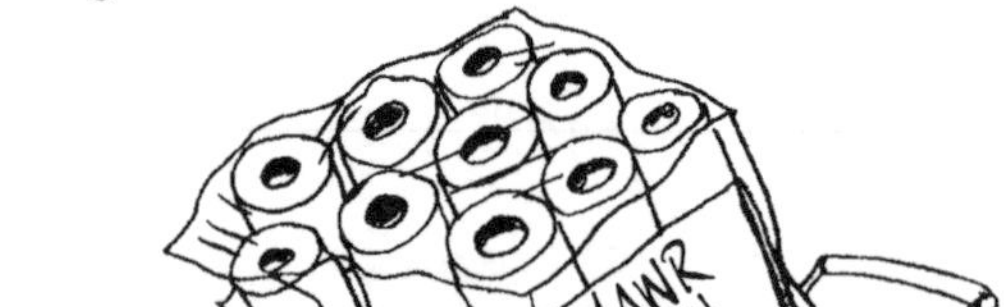

MAWR
IAWN
PAPUR TOILED
ANFERTH

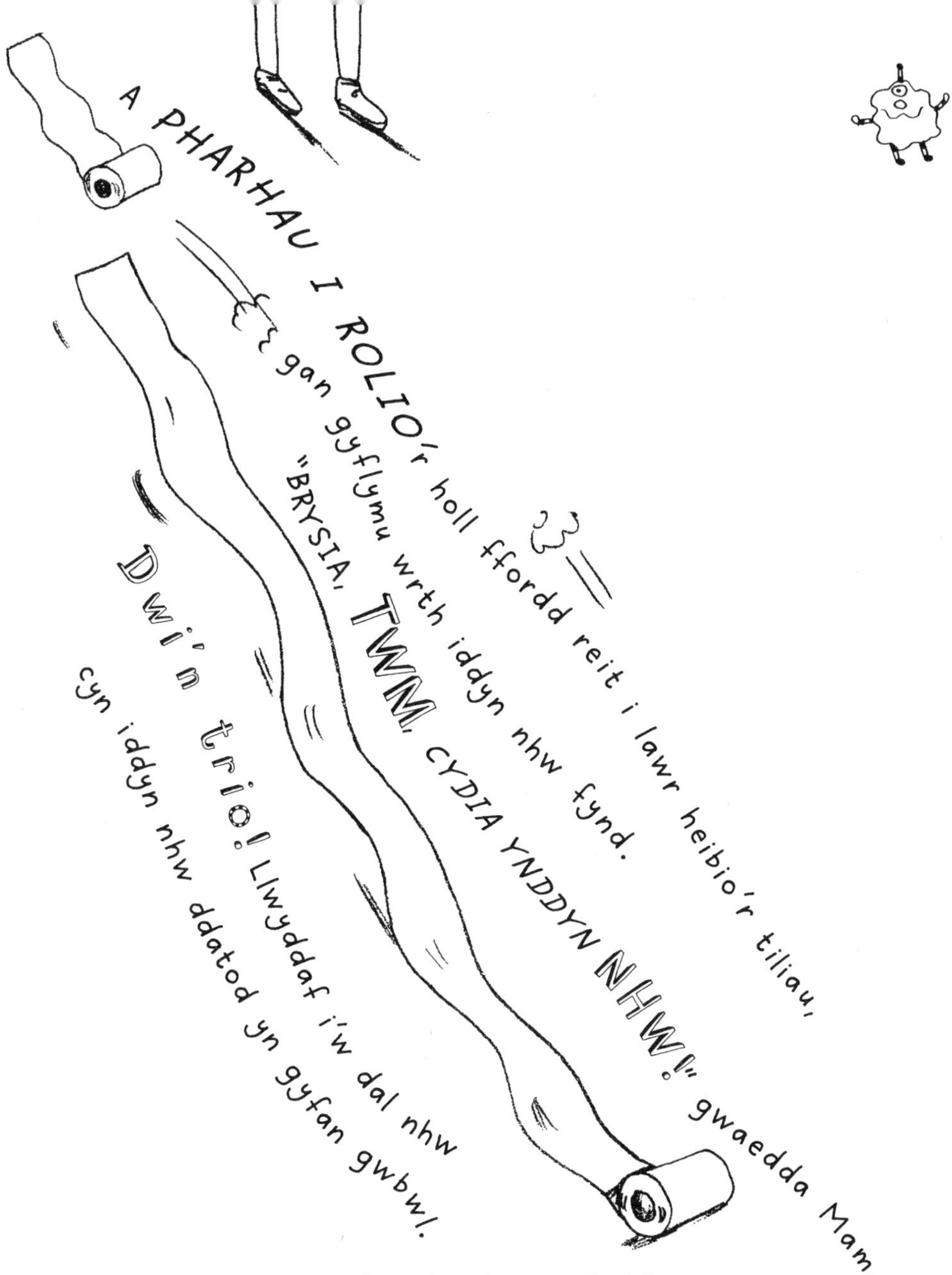

A PHARHAU I ROLIO'r holl ffordd reit i lawr heibio'r tiliau,

...gan gyflymu wrth iddyn nhw fynd.

"BRYSIA, TWM, CYDIA YNDDYN NHW!" gwaedda Mam.

Dwi'n trio! Llwyddaf i'w dal nhw

cyn iddyn nhw ddatod yn gyfan gwbwl.

(Hyn i gyd yng ngŵydd Efa, hefyd.)

69

'Runig beth dwi isio rŵan ydi mynd adra.

Ond mae'n RHAID i ni dalu wrth y til.

Mae dyn y til yn gofyn i Mam,

"Mae'r pecyn yma o bapur tŷ bach wedi

torri; ydach chi isio un newydd?"

Ac meddai Mam,

"Oes diolch, basa hynny'n wych."

Mae'r dyn yn cyhoeddi dros yr HOLL

ARCHFARCHNAD drwy'r uchelseinydd:

"PECYN ANFERTH IAWN O BAPUR TŶ BACH I DIL CHWECH, OS GWELWCH YN DDA. Y PECYN ARUTHROL O FAWR HWNNW. Y PECYN SY'N EDRYCH FEL TASAI'N PARA AM FLWYDDYN?"

Dydi hynny ddim yn wir –

ond mae o'n meddwl ei fod yn ddigri.

(Dwi wedi cael digon o helynt papur tŷ bach

am un diwrnod.)

70

Rydan ni wrthi'n llwytho'r siopa yn y car pan rydan ni'n taro-i mewn i EFA a'i mam ETO. Mae Mam yn brysur yn trio FFITIO'r holl bapur tŷ bach yn y bŵt (sy'n gwrthod cau). Felly dyma hi'n dechrau estyn y rholiau fesul un i mi eu rhoi nhw ar y sedd gefn. (Mae fel chwarae gêm o basio'r parsel, ond gyda phapur tŷ bach.)

MAWR IAWN PAPUR TOILED ANFERTH

Meddai EFA,
"Mae yna fyd efo'r holl bapur tŷ bach yna, yn does?"
Meddaf fi, "Oes, mae 'na." Yna cofiaf yn sydyn am rywbeth sy DDIM yn drafferth. Fy wafferi caramel! Tynnaf nhw o'r bag a chynnig un i EFA.
"Eitha peth i mi gofio'u tynnu nhw allan o'ch troli chi!" dwedaf wrthi. Medda EFA, "Diolch, Twm. Wnest ti gofio dod â dy ffurflen GŴYL HWYL i'r ysgol, do?"

71

"NADDO!"

Mae bron i wythnos GYFAN ers i
Mr Ffowc roi ffurflen arall i mi ei llenwi
(mae'n rhaid ei bod hi yn fy stafell wely yn
rhywle).

Wrth i ni yrru adre, mae Mam
yn deud wrtha i am beidio â phoeni. Meddai hi,
"Fedri di neud dim ynglŷn â'r peth rŵan, Twm.
Mi lenwa i hi ar ôl i ni gyrraedd adra."

Dyna'r cynllun.

Gartref, i ffwrdd â fi i chwilio am fy FFURFLEN yn syth bìn. Dwi'n meddwl ei bod hi wedi'i chladdu'n rhywle yn fy stafell FLÊR... wel, dwi'n gobeithio ei bod hi. O'r diwedd! Mae hi dan bentwr o ROC NAWR. Af â hi i lawr y grisiau ac mae Mam yn ei llenwi tra bo Dad yn dadbacio'r holl siopa.

Dim bisgedi?

Mae awgrym gan Mam...

"Rhag ofn i ti golli'r cyfle i fynd, be taswn i'n piciad i mewn i'r ysgol efo'r ffurflen a chael GAIR sydyn efo rhywun?"

"Sut fath o air ydach chi isio'i gael?" gofynnaf iddi (gan ofni'r gwaethaf).

"Paid â phoeni, Twm, mi wna i ofyn yn gwrtais iawn i Mr Ffowc neu Mrs Mwmbl am yr ŵyl. Dydan ni ddim am i ti golli dy gyfle."

Yna (fel arfer) mae Delia'n ymddangos o nunlle ac yn ymuno yn y sgwrs.

73

Meddai hi, "Ac yn **BWYSICACH** na hynny, rydan ni isio cael gwared ohonot ti am ychydig o ddyddiau."

"Dydi hynna ddim yn wir," medda Mam.

"Ocê... am ychydig o **wythnosau**."
(Dwi'n ei hanwybyddu.)

Mae Dad isio gwbod pam ein bod ni wedi prynu **CYMAINT** o fananas.

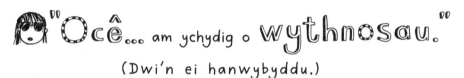

Meddai Mam, "Rydan ni am gael llwyth o ymwelwyr, felly paid â phoeni, mi gân nhw i gyd eu bwyta."

Yna mae Delia'n deud y cawn ni drafferth i fwyta cymaint â HYNNA, hyd yn oed tasa teulu o **simpansîs** yn dod draw am de

– sy'n gneud Mam yn flin, braidd.

74

"**R**oeddan nhw'n rhad - **cynnig**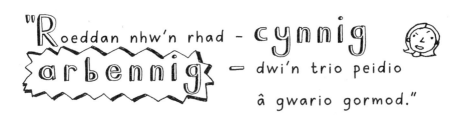
arbennig — dwi'n trio peidio
â gwario gormod."

Meddai **D**elia,  "Sôn am bres,
ga i fenthyg rhywfaint ar gyfer y bws?"

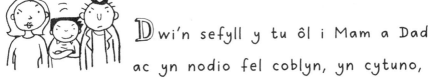 **M**ae **M**am a **D**ad yn anghofio
am y bananas ac yn deud wrth **D**elia:

1. All hi ddim gofyn iddyn nhw
   am bres drwy'r amser.

   > Ga i bres, plis?

2. Ei bod hi'n ddigon hen i gael job ar
   ddyddiau Sadwrn.

Dwi'n sefyll y tu ôl i Mam a Dad
ac yn nodio fel coblyn, yn cytuno,
rhywbeth a fyddai fel arfer yn gneud   Ha!

Delia'n ...      Ha!

BANANAS

75

Ond heddiw, yr unig beth sy ganddi i'w ddeud ydi, "Plis ga i chydig o bres – neu mi fydda i'n **HWYR**."

Ac medda Mam, "Yn **HWYR** i BE? Ddeudist ti ddim dy fod yn mynd allan. **D**ydi o ddim wedi'i sgwennu ar y *calendr*."

Rŵan, dwi'n ysgwyd fy  mys arni hi.

Mi fydda i'n hwyr i'r **gwaith**."

GWAITH? Dyna fraw gafodd Mam a Dad.

"Ia, gwaith. Dwi wedi cael job. Mi gewch chi'r pres yn ôl unwaith y caf fy nhalu," medda hi wrthyn nhw.

Mae ar Mam isio gwbod lle'n union y mae hi'n gweithio (a minna hefyd).

"Mewn lle bwyta, yn y dre – 'mond am chydig o oriau. Ond mae hi'n job felly byddwch yn hapus, ocê?"

 Mae Dad yn gegagored wrth roi'r pres iddi. Mae Delia'n *gwibio oddi yno* gan adael y ddau ohonyn nhw'n syfrdan.

Dwi'n manteisio ar y cyfle i neud (be sy, yn fy marn i, yn) awgrym da.

 "Gan nad oes raid i chi boeni am Delia rŵan, ydi hynny'n golygu bod 'na fwy o arian poced i mi?"

Hmmm, dwi'n cymryd mai NA ydi'r ateb. (Ond roedd yn werth trio.)

Dywed Mam fod yn rhaid i mi
dacluso fy stafell JEST RHAG OFN i'r
ddau gefnder ddod yma i aros. helô

Cytunaf i neud rhywfaint o dwtio.

Wrth i mi **wthio** rhai pethau o dan fy ngwely
(sy'n gofalu am y twtio am y tro), gallaf
weld Derec yn ei stafell ef drwy fy ffenest.

Mae'n codi cerdyn efo coblyn o syniad
da arno fo.

Gêm o
MONSTER
BATTLESHIPS?

Dwi'n ateb drwy
godi cerdyn sy'n deud...

Gêm handi iawn ydi hon pan rydach chi wedi syrffedu ond yn gorfod cadw'n DDISTAW.

Un tro, yn ystod gwasanaeth arbennig o **HIR** a diflas, mi chwaraeon ni'r gêm yma wrth eistedd yng nghefn y neuadd.

Mae fel **Battleships** cyffredin ond gydag **ANGENFILOD** yn lle llongau. Dyma sut mae'i chwarae hi:

BRENIN yr angenfilod yn werth [20] pwynt.

BRENHINES yn werth [20] pwynt arall.

Yna mae pump anghenfil bach yn werth [5] pwynt yr un.

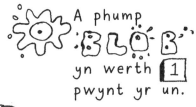

A phump **BLOB** yn werth [1] pwynt yr un.

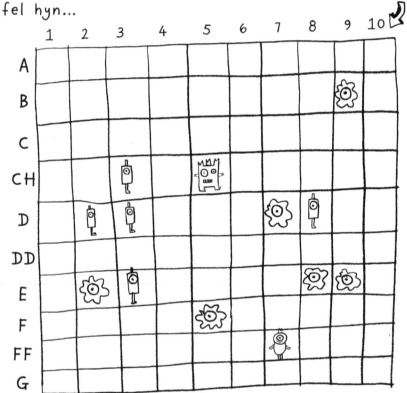

Rydach yn creu sgwâr a nodi rhifau a llythrennau fel hyn...

Yna rydach chi'n rhoi eich angenfilod mewn sgwariau gwahanol

B9 · D7 · E2 · E8 · E9 · F5 CH5

CH3 · D2 · D3 · D8 · E3 FF7

M ae Derec yn sgwennu rhif ei sgwâr ac yn ei ddal i fyny yn erbyn y ffenest.

Mae o wedi **TARO** un o'm hangenfilod i'n barod! **AAAA!**

Fy nhro i rŵan.

(Methu wnes i.)

Mae o wedi cael un arall o'm hangenfilod!

R ydan ni'n chwarae nes bod mam Derec yn cyrraedd a deud fod yn bryd iddo fo fynd i'w wely. Derec enillodd y tro hwn.

Dwi'n teimlo'n hollol effro, felly dyma fynd ati i ddŵdlo rhagor o angenfilod...

Anghenfil wobl ag UN Llygad

Dŵdl anghenfil ADERYN

Ffŵl o anghenfil

... nes i mi ddechrau teimlo'n gysglyd. Ch ch ch ch ch ...

Y BORE!

Amser brecwast, mae Mam a Dad yn fy holi'n dwll, isio gwbod a oes gen i unrhyw syniad lle mae Delia'n gweithio.

Meddaf fi, "Nagoes, wel – nid *ar y foment, yntê.*"

Yn syth bìn, meddai Mam, "Dwi ddim isio i ti fusnesu yn stafell dy chwaer, Twm."

CHWERTHIN mae Dad a deud, "Paid ti â meiddio, Twm. Gad hynny i dy FAM."

Yna meddai Mam, "Be ti'n feddwl? Dydw i ddim yn berson busneslyd o gwbwl!" (Nid drwy'r amser, falla, ond daw sawl enghraifft o fusnesu mamol i'r cof.)

Felly meddaf i, "Be am pan oeddach chi'n smalio hongian dillad ar y lein er mwyn trio gwrando ar sgwrs y cymdogion NEWYDD drws nesa?"

Meddai Mam, "Roedd gen i lwyth o olchi gwlyb i'w roi ar y lein. Do'n i ddim yn smalio!" Dwi'n ei hatgoffa mai dim ond UN lliain sychu llestri oedd ganddi. Sy'n gneud i Dad CHWERTHIN.

"Pryd gawson ni gymdogion newydd?" gofynna. Dwedaf wrtho fo am sut roedden nhw'n ⊙⊙ edrych o gwmpas y tŷ drws nesa a'r fath BOEN oedd yr eneth fach. "Am ddim rheswm o gwbwl, roedd hi'n MYNNU tynnu stumiau arna i ... fel hyn ..." (Dangosaf iddo.)

 Daw Delia i lawr am ei brecwast a deud,

"Dyna welliant MAWR, Twm.

Dylet ti aros fel'na."

(Digri iawn, Delia.)

Medda Dad,

"Bore da, Miss Mae-Gen-i-Job."

Sy'n gneud i Delia ddeud, O pliiiiis.

Mae Mam yn gofyn iddi eto lle mae hi'n gweithio.

Meddai Delia, "Be ydi'r ots? Dwi'n gwbod be

ddigwyddith taswn i'n deud wrthoch chi.

Basa'r teulu CYFAN yn dod yno i'm POENI.

(DYNA syniad da. Dwi WIR isio

gwbod rŵan.)

Meddai Delia'n biwis, "Dwi'n mynd rŵan,

ac mi fydda i'n hwyr adre gan fy

mod i'n GWEITHIO."

Mae Mam yn gwthio bananas arni wrth iddi adael.

Sblych

"Cer ag un efo chdi ...

cer â dwy."

Dwi newydd sylwi bod 'na fananas wedi'u torri dros fy ngrawnfwyd. Nid fel hyn y bydda i'n arfer bwyta grawnfwyd, ond dim ots – dwi'n hoffi bananas.

Eitha peth, hefyd. Mae gynnon ni LWYTH.

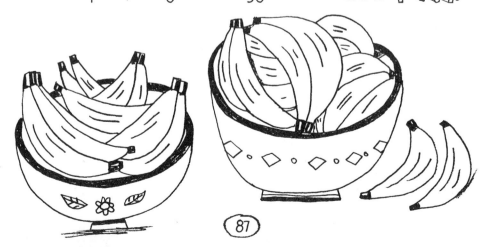

Mae fy ffurflen WYL HWYL ar y ffrij ynghyd â nodyn MAWR STICI sy'n deud COFIA HWN (rhag ofn i mi anghofio).

Llwyddaf i berswadio Mam i BEIDIO â dod i'r ysgol i gael gair bach wedi'r cwbwl. Dwi ddim yn debygol o anghofio fy ffurflen rŵan, gan fod Mam wedi gadael nodyn i'm hatgoffa LLE BYNNAG dwi'n edrych.

Mae Derec yn GALW heibio i weld a ydw i'n barod i fynd i'r ysgol.

Ti'n barod eto?

(Ddim cweit, bron iawn.)

Tra 'mod i fyny'r grisiau yn glanhau fy nannedd, mae Dad yn sgwrsio efo Derec i lawr y grisiau.

"Wyt ti'n mynd i ŵyl hwyl yr ysgol, Derec?"

"Ydw, gobeithio."

Yna clywaf Mam yn gofyn i Derec a wnaiff o:

1. Sicrhau fy mod i'n mynd â'r ffurflen i'r ysgol.

2. Mynd â banana efo fo.

"Mae gynnon ni ddigonedd."

Does ganddi ddim ffydd yna i, deudwch?

Poen, a deud y lleiaf.

Dyma REDEG i lawr y grisiau a chipio fy mag ysgol. Yna mae Derec a finna'n gweiddi HWYL! cyn gwibio allan trwy'r drws. Rydan ni ryw hanner ffordd i lawr y lôn pan mae'r olwg ar fy wyneb i'n dangos i Derec ... NAAAAAAAAAAAAAA!

Mae Mam yn disgwyl amdana i yn y drws efo'r ffurflen yn ei llaw. (A banana arall rhag ofn bydd isio bwyd arna i.) **Mae hi gen i!**

Yn yr ysgol mae Mr Ffowc yn deud wrtha i am fynd â'r ffurflen i'r swyddfa. Felly i ffwrdd â fi'n syth i weld Mrs Mwmbl, sy ar y ffôn. Tra dwi'n aros iddi orffen ei galwad, daw teulu i mewn a sefyll y tu ôl i mi. Mae Mrs Mwmbl yn rhoi ei llaw dros y ffôn a deud,

"Mae'n ddrwg gen i, mi fydda i gyda chi mewn munud. Steddwch, os gwelwch yn dda."

Nid wrtha i – wrth y teulu'r tu ôl i mi, ac maen nhw i gyd yn eistedd i lawr. Dyma droi i gael sbec arnyn nhw.

Mae wyneb yr ENETH ◔◡◔ yn canu cloch.

Wrth i mi syllu arni, dyma hi'n dangos ei dannedd yn wirion, fel **cwningen**.

DWI'N COFIO RŴAN! ➡

Be mae HON yn dda yn f'ysgol i?

Mae Mrs Mwmbl yn diffodd y ffôn.

"Be ydi hon, Twm?" Rhoddaf y ffurflen iddi, ond mae'r HOGAN yma wedi cipio fy sylw a dywedaf,

> Fy FFURFLEN GŴYL 🐰
> HWYL Y CWNINGOD,
> Mrs Mwmbl.

Sy'n gneud dim synnwyr o gwbwl.

"Ai dy ffurflen GŴYL HWYL YR YSGOL rwyt ti'n ei feddwl, Twm?"

"IA."

"Mae hi braidd yn hwyr. Ond mae 'na rai wedi canslo, felly efallai y byddi di'n lwcus."

Ymddiheuraf i Mrs Mwmbl am fod yn hwyr efo'r ffurflen, ond dwi wirioneddol isio mynd, meddaf wrthi, ac os all hi neud unrhyw beth i sicrhau fy mod i ar y rhestr, wel, basa hynny'n HOLLOL WYCH.

Meddai hi, "Bosib iawn dy fod yn lwcus. Mae dau wedi canslo'n barod."

Sy'n NEWYDDION ARDDERCHOG.

Yna meddai Mrs Mwmbl wrth y teulu newydd, "Croeso i Ysgol Caederwen! Bydd Mr Preis gyda chi ymhen dim."

Dwi'n gobeithio nad ydi'r hogan yna'n dod i f'ysgol I! Ac os ydi hi, dwi'n croesi fy mysedd na fydd hi yn fy nosbarth i.

Basa hynny'n NEWYDDION DRWG – heblaw ei bod hi'n eistedd drws nesa i Carwyn ac yn ei boeni fo yn fy lle i. (Ia, basa hynny'n gweithio.)

Rŵan bod fy ffurflen i mewn yn DDIOGEL, yn ôl â fi i'r dosbarth ar gyfer un o fy hoff bynciau.

CELF

😊

(Mae pethau'n gwella!)

Mrs Williams sy'n ein dysgu ni heddiw. "Rhowch bapur dros y desgiau i gyd rhag iddyn nhw fynd yn rhy fudur."

Mae Mrs Williams am i ni nôl brwsh, pot dŵr a dewis un lliw paent ar gyfer ein lluniau. (Llai o baent i'w lanhau wedyn, mae'n siŵr gen i?)

Mae Norman Watson mewn trwbwl yn barod am FFLICIO paent dros ei bapur o.

Mae'r rhan fwya ohono fo wedi mynd dros gefn Briallen.

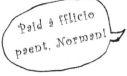

Paid â fflicio paent, Norman!

Yna medd Mrs Williams,

"Dewiswch rywbeth hyfryd i'w beintio gan ddefnyddio'r dechneg dwi newydd ei dangos i chi.

Os ydych chi am beintio unrhyw beth oddi ar y bwrdd acw, yna croeso i chi ei fenthyg."

(Mmmmm, dim diolch.)

"Neu falla rhywbeth sy'n digwydd bod gennych chi'n barod?"

Mae hynna'n syniad. Hen dro na ddois i â wafferi caramel efo fi heddiw.

Chwilotaf drwy fy mag a dod ar draws dwy ffon goctel  ers i Nain neud draenog caws a banana i ni.

A dof o hyd i

fanana ARALL...

Draenog banana
Nain

Dyma wthio'r ffyn i mewn i'r fanana nes ei bod yn edrych ychydig bach fel êliyn. Mae eFA'n dod â phlanhigyn bach yn ôl i'r bwrdd, ac am ryw reswm mae Carwyn wedi dewis peintio HOSAN wlân efo bysedd troed unigol arni.

Mae Mrs Williams yn cerdded rownd y dosbarth yn rhoi cyngor ynglŷn â be i'w neud nesa.
"Dechrau da i dy hosan di, Carwyn."
Yna mae Carwyn yn symud ei fraich yn sydyn gan fy MHWNIO i.

Dwi'n COLLI paent dros fy mhapur ar yr union bryd ag y daw Mrs Williams i edrych arno fo.

"Mmmm, cyfuniad diddorol, Twm."

Ceisiaf ddeud wrthi be ddigwyddodd.

"Camgymeriad oedd o...Carwyn bwnio..."

Ond mae Mrs Williams yn barod wedi mynd i rwystro Norman rhag **FFLICIO** rhagor o baent.

Dwedaf, "Diolch yn fawr, Carwyn, am fy mhwnio i."

Meddai fo, "Wnes i ddim cyffwrdd ynot ti! Nid fy mai i ydi o fod dy ddarlun di'n edrych fel...

SBLAT."

Mmmm, mae'r sbloj yma'n fy atgoffa o rywun.

"Fedri di ddyfalu pwy ydi hwn, Efa?"
gofynnaf iddi.

Mae hi'n dyfalu'n syth bìn.

Ha! Ha!
Ha! Ha!

Tra dwi'n disgwyl i fy narlun SYCHU, tynnaf y ffyn coctel allan o'r fanana a meddwl am ei bwyta hi.

Dyna pryd dwi'n sylweddoli bod croen y fanana wedi troi'n DDU o gwmpas lle roedd y ffyn coctel.

Gwthiaf un o'r ffyn yn ysgafn i mewn i'r croen eto - a dechreua droi'n ddu bron iawn yn syth bin. Aha - gall hyn fod yn hwyl.

Felly dyma fi'n creu ychydig mwy o ddotiau a dechrau llunio dŵdl.

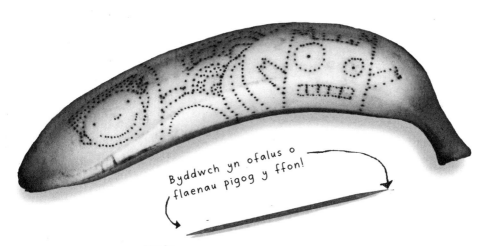

Byddwch yn ofalus o flaenau pigog y ffon!

Mae ar 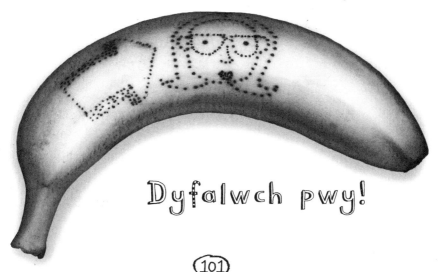eFA isio gwbod be dwi'n ei neud, felly dyma fi'n dangos iddi.

"Mae hynna'n FFANTASTIG," meddai hi.

Da, yntê?

Lluniaf ddŵdl arall ar ochr lân y fanana.

Dyfalwch pwy!

Mae **EFA** wrth ei bodd ac yn meddwl ei fod yn **DDIGRI**. Ac mae Carwyn, yn drwyn i gyd, yn sbio arni hi hefyd.

"Be ydi hwnna?"

"**Dŵdl** banana."

"Ga i weld?" gofynna.

Mae Carwyn isio gwbod sut wnes i hyn.

Felly meddaf fi, "Mae'n hawdd, fel hyn, drycha."

Dot dot dot dot dot dot dot dot ... dot.

"Dyna ti ... fel'na mae i neud o."

Mae Carwyn yn astudio'r fanana'n ofalus. Wrth i'r dotiau dduo, meddai fo, "O'r gora, dwi'n dallt rŵan...

ai **MRS WILLIAMS YDI HONNA?**

Meddaf wrtho, "Paid â gweiddi fel'na, Carwyn. Dwi ddim isio i Mrs Williams ei weld o."

Gweld be, Twm?

(Rhy hwyr.)

Meddai Mrs Williams, "Dyna i ni greadigol, Twm. Rwyt ti wedi creu darlun dotiau ar fanana..." (Hyn sy wir.) "Ac mae'n edrych fymryn fel fi."

O na, dwi amdani rŵan...

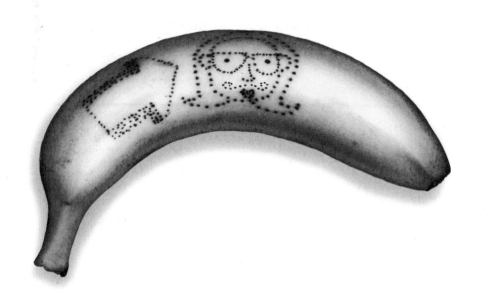

"Aros di yma ar ôl y wers, Twm."

(Mae rhywbeth yn deud wrtha i fod Mrs Williams newydd weld y dotiau mwstásh.)

Sblych.

(Basa wedi gallu bod yn waeth, mwn.)

MWY FYTH O fananas Mae'r **Newyddion** am fy **nhatŵs banana** a sut i'w gneud nhw, fel tân *GWYLLT* drwy'r lle. Fuodd bananas erioed mor boblogaidd yn yr ysgol. Mae pawb wrthi!

Dwi wedi bod yn llunio ychydig mwy o ddŵdls gartre hefyd. (Mae'n bosib bwyta'r bananas wedyn, cyn belled nad ydach chi'n eu gadael nhw'n RHY hir.)

Mae hon i Delia. Dywedais wrthi mai anrheg oedd hi. Ha! Ha!

Roedd y mynydd o fananas a brynodd Mam yn mynd yn llai yn raddol pan ddaeth Nain heibio gyda LLWYTH o rai eraill.

"Helô! Dwi'n gwbod cymaint rydach chi'n hoffi bananas ac roedden nhw mor rhad."

(Diolch byth, doedd hi ddim wedi dod ag un arall o'i draenogod banana.)

Ond roedd hi wedi gneud llwyth o fisgedi banana a phupur.

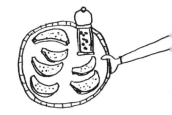

Daeth Norman a Derec draw am ymarfer band, mewn da bryd i fwyta rhai.

Rydan ni angen sgwennu caneuon newydd i'r **CŴN SOMBI**. Ond mae cymaint o bethau eraill i dynnu'n sylw. Mae Nain yn rhoi plataid o fisgedi i ni fynd i'm stafell i. Norman sy'n bwyta'r rhan fwya ohonyn nhw.

Estynnaf fy ngitâr a THRIO meddwl am destunau caneuon newydd. Mae Norman yn awgrymu

Be am fananas?

Falla (falla ddim).

"Neu be am gi o'r enw Rŵstyr?" medda Derec, gan ein bod ni i gyd yn gallu'i glywad o'n CYFARTH o'r ardd.

Mae Norman yn amau a fasa'n hoff fand drwy'r byd i **GYD** – Y **3 DIWD** – yn sgwennu cân am gi bach.

Hyd yma dydi'r cyfansoddi DDIM yn mynd yn dda iawn. Daw ambell i syniad wrth edrych ar y stwff sy gen i yn fy stafell.

Gwelaf allan drwy'r FFENEST.

Cân Gobennydd

Cân y Flanced

Cân y Ffenest

Yna cynigiaf ein bod yn edrych drwy bentwr o

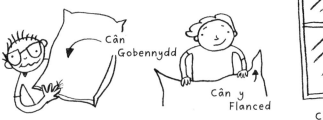 ROC NAWR am ysbrydoliaeth.

"Mae rhagor gan Delia yn ei stafell, af i'w nôl nhw," dwedaf wrthyn nhw. Maen nhw'n cytuno.

Mae'n SYNIAD GWYCH.

Stafell Delia Ha! Ha!

Mae'n rhaid gen i fod Delia yn gweithio (ym mle bynnag), felly wneith hi mo fy nal i'n busnesu yma.

Tra dwi yno, sylwaf ar rywbeth sy'n edrych yn OD IAWN ac allan o'i le yn stafell Delia.

HET fach wen.
Dwi ERIOED wedi'i gweld hi'n gwisgo unrhyw beth fel'na o'r blaen. Cipiaf y copïau o ROC NAWR a gwisgo'r het ar fy mhen.
Mae Norman a Derec yn meddwl ei bod yn edrych yn hurt bost amdana i.

110

Mae'n edrych yn hurt amdanyn nhw, hefyd.

Wrth i ni chwilio drwy **ROC NAWR**, dyma DUDALEN yn CIPIO FY SYLW.

GAN ALW HOLL FFANS Y 3DIWD!

Dyma gyfle i chi ddylunio crys-T ar gyfer yr **3DIWD**.

Mae'r 3DIWD yn gofyn i'w holl ffans greu cynllun gwreiddiol ar cyfer CRYS-T a gaiff ei brintio a'i WISGO gan aelodau'r band.

Anfonwch eich cynlluniau i'r cyfeiriad isod

Gyda'ch enw:

Cyfeiriad:

a'ch manylion cyswllt:

erbyn

Dyna ddigon ar gyfansoddi (am rŵan). Yn lle hynny, estynnaf bapur  a llwyth o offer celf ac awn i gyd ati i ddylunio syniadau ar gyfer y crysau-T.

Mae Norman yn cael gwell hwyl ar FFLICIO paent y tro hwn.

Mae llun Derec yn reit dda, hefyd. Mae dylunwaith dŵdl y crys-T dwi'n ei neud yn cymryd sbelan – ond mae werth o.

Mae Dad yn brathu'i ben heibio i'r drws i weld sut mae'r cyfansoddi caneuon yn siapio. (Dydi o ddim.)

Meddai fo,

Mae gen i snac blasus ac arbennig iawn i chi i gyd hefyd. Gesiwch be ydi o?

Helô!

Nid mwy o fananas, medda fi. Sblych.

Bananas - mymryn yn wahanol.

Mae Dad wedi gosod waffer ar bob un ohonyn nhw. Diolch, Dad!

(Mae'n syniad da iawn.)

Mae o'n hoffi ein crysau-T hefyd.

Mae Norman yn bwyta'i fanana + waffer yn gyfan tra bo Derec a minnau'n sglaffio'r wafferi. Rydan am gadw'r bananas tan wedyn (ar ôl gneud dŵdl sydyn arnyn nhw). Rydan ni ar fin gorffen ein lluniau crysau-T pan mae Delia'n FFRWYDRO i mewn i'm stafell.

gan WEIDDI,

Lle mae fy HET i?

"Pa het?"  dywedaf.

"Yr UN rwyt ti wedi ei bachu o'm stafell i - ynghyd â'r **ROC NAWR** rheina hefyd," meddai hi, gan edrych ar ei holl gylchgronau. Ceisiaf gadw wyneb syth wrth ddeud wrthi,

"Does 'na'r un het yn fan'ma."

(Mae Derec a Norman yn cadw ALLAN o hyn.)

"Rhaid i mi gael yr het 'na ar gyfer fy NGWAITH - felly basa'n well i ti ei rhoi hi'n ôl RŴAN."

Yna'n sydyn mae Delia'n gweld ei het ... mae'r bananas yn ei gwisgo.

Cipia Delia'r het yn ôl gan weiddi, "Cadwa di ALLAN o'm stafell i!"

Arhosaf nes bod Delia wedi mynd cyn gneud i

Derec a Norman CHWERTHIN drwy neud hyn.

Ha! Ha!

NEWYDDION O'R YSGOL!

Yn y dosbarth, mae **M**r Ffowc yn deud bod ganddo gyhoeddiad i'w neud.

O **S b i o** ar ei wyneb o, alla i ddim deud ai newyddion **DA** ydi o, newyddion **DRWG**, neu'r ddau.

Felly rydan ni i gyd yn aros ... ac aros ...

"Ynglŷn â'r ŵyl hwyl," meddai fo.

(Nefi, mae o'n godro hyn go iawn...)

"Os ydach chi wedi rhoi'ch enw ar y rhestr, yna gallaf ddweud wrthoch chi nawr..."

(IA, be!)

"... y byddwch ..."

BE!

"... chi i gyd yn mynd i'r ŵyl."

FFIW! Mae hynna YN newyddion **DA**.

Does yna ddim llawer cyn yr ŵyl chwaith, felly mae'n eitha peth. Yna medda fo (a dyma fo'r newyddion DRWG), **"Mae disgwyl i bob un ohonoch chi gymryd nodiadau am yr holl brofiadau diddorol yn ystod yr ŵyl."**

O ddifri?

"Byddwch chi i gyd yn derbyn dyddiadur arbennig IAWN ar gyfer eich nodiadau."

(Gobeithio y cawn ni dynnu lluniau ynddo fo hefyd.)

Mae Mr Ffowc yn dangos engreifftiau mae plant eraill wedi'u gneud yn y gorffennol.

(Maen nhw'n reit dda hefyd.)

"Fel y gwelwch chi, mae'n ffordd WYCH o gofio'r ŵyl."

Iawn. Ond mae'n swnio fel llwyth o waith. Maen nhw'n fwy swanc na'n llyfrau ysgol arferol. A fydd 'na ddim gwaith cartre arall. GWYCH!

Mae Mr Ffowc yn dosbarthu rhagor o lythyron am yr ŵyl.

Mae 'na RESTR o stwff bydd ei angen arnon ni. Yr unig beth sy ddim gen i ydi côt dal dŵr, ond mae gan Derec ddwy, felly dwi'n gobeithio cael menthyg un ganddo. Amser chwarae, dyma fi'n gofyn i Derec os basa hynny'n iawn efo fo. Dim problem FFIW!

Meddaf fi, "Mae hynny'n golygu na fydd raid i mi fynd efo Mam i siopa dillad." Sy wastad yn ryddhad mawr. Hola Derec a ydi Delia'n dal i fod yn FLIN efo fi? A meddaf fi, "Ydi, tad, ond mae'r HET yna wedi gneud i mi fod yn FWY o isio gwbod lle mae hi'n gweithio."

Mae hwn yn ciwt, Twm.

Nid i mi.

(Bydd raid i mi gael gwbod ar ôl i mi ddod adra o'r ŵyl. Mae Mam a Dad ar dân isio gwbod hefyd.)

118

Dwi hefyd wedi sylwi, a minnau rŵan yn bendant yn cael mynd i'r ŴYL – does dim un athro wedi sôn am y peth yn 'run o'r gwersi! (Cyn hyn, roeddan nhw i gyd yn hefru amdani drwy'r amser!)

Sy'n dipyn o boen, oherwydd dwi wedi cynhyrfu cymaint, alla i ddim peidio â meddwl am yr ŵyl ...

Yn yr ysgol ...

ac adre.

Ond mae Mam a Dad yn fy ngyrru'n BONCYRS ynglŷn â'r ŵyl.

Byddi angen sawl FEST gynnes.

Hmm.

Croeso i ti fynd â'r het wlân yma efo chdi, Twm.

O, grêt.

Mae'r ŵyl ond yn para am DRI DIWRNOD ond o'r ffordd mae Mam yn ffysian efo'r holl bacio, basach yn taeru fy mod i'n mynd am

Plasteri

TRONSIAU

Past dannedd

Sanau sbâr

DAIR WYTHNOS!

Mae Delia wedi bod yn gweithio'n AML a dwi ddim wedi gweld yr HET honno wedyn ers i'r bananas ei gwisgo hi.

Gan fy mod yn mynd i ffwrdd i'r ŵyl fory mae'r FFOSILIAID wedi galw heibio i ddeud HWYL.

Meddai Nain,

"Dwi wedi gneud 'rhywbeth' bach i ti."

(Chwarae teg iddi.)

Dydi o ddim yn edrych yn fach I i mi!

Dydi o ddim.

Mae Nain wedi gwau siwmper ANFERTH i mi gyda HYMDINGAR o fanana yn gwenu ar ei blaen!

"Bydd hi'n ffitio mewn dim o dro, Twm. Mi wneith hi dy gadw di'n gynnes tra wyt ti yn yr ŵyl," meddai hi wrtha i.

"Diolch, Nain," meddaf fi. Dwi ddim am sôn falla na wneith hi ffitio yn fy mag.

Mae Taid yn rhoi chydig o fisgedi banana i mi "i'w bwyta ar y daith". Mae'n brathu i mewn i un a smalio ei bod hi wedi torri ei ddannedd. Sy'n gneud i Nain ochneidio. Dwi'n rhoi MWYTHAU i'r ddau ohonyn nhw cyn mynd i bacio gweddill fy stwff.

crac

Gwelaf fod Mam (RYWSUT) wedi llwyddo i bacio fy mag i'n slei bach yn barod.

SYRPRÉIS

YN BAROD! Mam. X

Felly does ond isio i mi ganolbwyntio ar y stwff **pwysig go iawn** rŵan (fy snaciau).

Dwi'n tynnu ambell beth roedd Mam am i mi fynd efo fi o'r bag.

Cap cawod?

Mwgwd llygaid?

Snaciau Twm

(Dwi'n cadw'r plasteri. Jest rhag ofn.)

Heno, dwi am fynd i'r gwely'n GYNNAR. Dwi ddim isio bod yn hwyr (fel arfer).

Dwi wedi **CYFFROI'N lân.**

Rhaid i mi gofio am fy nyddiadur GŴYL HWYL hefyd.

Twm Clwyd
GŴYL HWYL
yr ysgol.
(Math o ddyddiadur)

O IA!

Morgrugyn
yn dringo

Mae'r plasteri'n handi yn barod.

EFFRO!

Y Siwrne

Am UNWAITH llwyddais i ddeffro'n GYNNAR fel y GOG er mwyn cael:

1. Mynd i mewn i'r stafell ymolchi C.D. (sy'n golygu CYN DELIA).

2. Sicrhau eto nad ydw i wedi anghofio unrhyw beth pwysig ar gyfer yr ŵyl (fel fy nhryncs nofio – oherwydd mae HYNNY wedi digwydd o'r blaen).

3. Gneud penderfyniad MAWR IAWN Tedi neu ddim tedi? (Penderfynais fynd â'm tedi efo fi – ond wedi'i guddio.) Yna GWASGAIS fy nghês ynghau a mynd i lawr y grisiau am frecwast.

124

Ro'n i mewn hwyliau **arbennig** o WYCH nes i mi daro i mewn i Delia'n dod allan o'i stafell. *Gwthiodd* heibio i mi gan ddeud,

Dwyt ti byth wedi mynd?

Wel, dyna i ni gwestiwn dwl. Felly dwedais wrthi,

"Taswn i wedi MYND, yna baswn i ddim yma, faswn i?"

Yna meddai hi, "Wel, brysia i fynd o'ma, wnei di?" – cyn iddi *FAGLU'N* ddamweiniol dros duniau paent roedd Dad wedi'u gadael ar waelod y grisiau.

Roedd Dad yn y gegin a GWAEDDODD:

GWYLIWCH y potiau a'r brwshys paent sy wrth waelod y grisia,

ryw fymryn bach yn **rhy** hwyr.

Peintio gwinedd dy draed wyt ti?

Ha! Ha!

gofynnais i Delia. Ro'n i'n meddwl bod hyn yn reit DDIGRI, ond doedd Delia ddim yn chwerthin.

Gadewais fy mag wrth y drws ffrynt cyn anelu am y gegin, ac ro'n i'n gallu arogli rhywbeth BLASUS IAWN yn cael ei goginio

Hwrê! – CREMPOGAU! FY FFEFRYN! ☺

Dwedodd Mam y basai'r crempogau'n fy nghynnal "drwy'r dydd, ar dy siwrne FAITH a hir."

(Diolch, Mam!) ☺

Meddai Delia (a oedd yn FWY piwis fyth rŵan), "Pa siwrne hir? 'Mond ista ar ei ben-ôl mewn bws am ddwy awr mae o, nid dringo'r WYDDFA."

(Gwir – ond dwi'n hapus i gael crempogau unrhyw bryd. Mmmmmmm.)

Falla'n wir mai dringo mynydd fydd Twm yn ei neud yn ystod yr ŵyl hwyl yma,

meddai Dad.

Dechreuais boeni, oherwydd dwi ddim yn cofio gweld unrhyw beth am DDRINGO MYNYDD ar y rhestr o weithgareddau.

+ Dringo mynyddoedd uchel

(Penderfynais fwyta TAIR crempogen, rhag ofn.) Ar ôl brecwast, gofynnodd Mam, am y DEGFED tro, a oedd bob dim gen i, a dwedais,

> YDI, mae POPETH gen i.

> Hyd yn oed dy frwsh dannedd?

> Heblaw am fy mrwsh dannedd.

(Wnes i ddim sôn fy mod i wedi anghofio brwsio fy nannedd hefyd.)

Am yr UNFED TRO AR DDEG gofynnodd Mam i mi,

> Ydi POPETH gen ti?

A meddaf fi, > YDI ... dwi'n meddwl.

Yna cariodd Dad fy mag i'r car tra o'n i'n deud (HWYL) wrth Delia.

"**W**yt ti'n **DÁL** yma?" gofynnodd.

"**D**wi'n mynd rŵan."

O'r diwedd, meddai Delia'n flin.

Yna safodd wrth y drws ffrynt yn ein gwylio ni'n mynd.

Wrth i mi ddringo i mewn i'r car, meddai Mam, "Mi fydd gynnon ni hiraeth ar d'ôl di, Twm. Hyd yn oed Delia."

Ond wrth weld Delia'n DYRNU'R awyr ac yn dathlu wrth i ni yrru i fwrdd, dwi **ddim** mor siŵr. ➡ - Ie-ee

Erbyn i ni gyrraedd yr ysgol, roedd pawb yn eistedd ar y bws yn barod, yn aros amdana i.

Brysia, Twm, rwyt ti braidd yn hwyr,

meddai Mr Ffowc pan gyrhaeddais. 🙁 Ond doedd bod yn hwyr ddim yn beth mor DDRWG oherwydd roedd yn rhaid i Mam a Dad ddeud ffarwél wrtha i heb ormod o hen ffysian a swsio.

(Ffiw.)

HWYL!

Roedd pawb o fy nosbarth i'n gwylio, 👀 👀 👀 gan gynnwys Carwyn Campbell, a oedd am ryw reswm yn SYLLU arna i efo'i LLYGAID CROES (eto).

Roedd Derec wedi llwyddo i gadw sedd i mi y tu ôl i Caled a Norman, a oedd wedi cynhyrfu cymaint nes ei fod o'n methu aros yn llonydd.

Wrth i'r bws gychwyn o'r diwedd, roedd yr holl famau, tadau, ffrindiau, teuluoedd a'r anifeiliaid, hyd yn oed, yn chwifio hwyl fawr.

Daeth HWRÊ FAWR gan y plant wrth iddyn nhw chwifio'n ôl. (Heblaw am Jenni Jones, oedd yn teimlo'n swp sâl yn barod.)

Roedd GŴYL HWYL YR YSGOL wedi dechrau!

HWRÊ!

Yn syth bìn, tynnodd Derec a minna ein snaciau o'n bagiau er mwyn gweld be oedd gynnon ni i'w fwyta. Roedd 'na ddewis àrddèrchòg.

Meddai Derec, "Mi wneith y WLEDD yma bara i ni am ☺ HYDOEDD"

IYM→

CREISION

Da-da
jeli meddal

Cyn

Wedyn

(Wnaeth hi ddim.)

(132)

Roedd y rhan fwya o'r genod, gan gynnwys **EFA PARRI**, yn eistedd efo'i gilydd yng nghefn y bws ac yn **CANU'N WIRION O UCHEL.**

Fel arfer, byddai **Mr** Ffowc wedi troi'n **flin** gan ddeud **Dyna ddigon o ganu, ferched** NEU **Rhy uchel!**

Ond gan fod hon i fod yn **"ŴYL HWYL"** gadawodd iddyn nhw ganu (am ryw hyd, beth bynnag).

Cynigiodd Derec ein bod yn chwarae'r gêm **IA neu NA** honno. A oedd yn syniad da, gan fod Derec wedi dod â phapur stici efo fo. Sgwennodd rywbeth yn sydyn ar un ohonyn nhw a'i sodro ar fy nhalcen.

Roedd Caled eisoes yn CHWERTHIN am y nodyn. "Dyna un da," meddai wrtha i. Ac roedd hynny'n ei gneud hi'n anos O LAWER i mi feddwl am rywbeth da ar gyfer Derec. Er i mi feddwl fy mod i wedi dewis rhywbeth DIGRI - wnaeth Derec ei ddyfalu MOR GYFLYM!

Nid fel fi. Mi gymerais hydoedd i ddyfalu be o'n i...

Ydw i'n fyw?	Wyt.
Canwr ydw i?	Nage.
Oes gen i goesau?	Oes.
Ydw i'n enwog?	Nag wyt.
Ai Rŵstyr ydw i?	Nage.
Ydw i'n anifail?	Mewn ffordd.

(Aeth hyn ymlaen ac ymlaen...)

O'r diwedd dywedais,

Ai trychfil ydw i?

Ac ateb Derec oedd,

IE, digon agos

Faswn i byth wedi cael hwnna. Roedd chwannen yn un da i'w dewis.

wîîîî!

Hir hydoedd oesoedd

135

Ar ôl ein gêm, roedd yn AMSER SNACIAU.

Sgrialais drwy fy mag am fy mocs snaciau (eto). Ond be oedd yno ond *negeseuon* bach roedd Mam wedi'u *sleifio* i mewn i'r bag.

"Mae fy mam yn hoffi sgwennu ngeseuon ata i," meddwn wrth Derec. "Ai hi sgwennodd hwn hefyd?" gofynnodd Derec.

"Dwi'n ryw amau mai Delia wnaeth hwnna."
(Pwy arall?)

Gan fy mod i wedi bwyta'r rhan fwya o'm snaciau'n barod, yr unig bethau oedd gen i ar ôl oedd y bisgedi banana ges i gan Nain a'r bananas a oedd braidd yn wyrdd.

Dwedodd Norman y basa fo'n bwyta un os nad o'n i ei hisio hi. "Helpa dy hun," dwedais wrtho cyn sylweddoli fod DELIA wedi bod yn dŵdlo. (Dwyn fy syniad i wnaeth hi. Ond doedd dim ots gan Norman ei bwyta hi.)

Gwaith llaw Delia

Roedd cyfle da rŵan i mi dynnu llun rhywbeth yn fy nyddiadur. Ond nid peth hawdd oedd tynnu llun mewn bws oedd yn symud.

pwffyn caws

Roedd fy dŵdls anghenfil yn edrych braidd yn wobli...

Aeth y daith fws heibio'n hynod o ═SYDYN ac ymhen dim o dro roedd Mr Ffowc yn cyhoeddi,

> **Rydan ni yma. Gofalwch nad ydach chi'n gadael unrhyw beth ar ôl ar y bws.**

Trodd pawb yn fwy bywiog a pharablus wrth i ni droi i mewn i'r Ganolfan Weithgareddau (heblaw am Carwyn, a oedd yn cysgu ac yn glafoerio).

Roedd Marc Clwmp ar fin ei ddeffro fo pan wnaeth Norman hynny drosto.

Bŵ!

Wrth i ni adael y bws, gwaeddodd Capteiniaid Timau'r Ganolfan Weithgareddau "HELÔ" yn siriol a'n tywys ni i'r neuadd.

Aethon ni â'n bagiau ac aros i weld gyda phwy y bydden ni'n rhannu CABAN.

Roedd yna fws arall eisoes wedi'i barcio drws nesa i'n bws ni. Ond chymerodd neb fawr o sylw ohono gan ein bod i gyd yn rhy brysur yn sbio o'n cwmpas.

Dwedais wrth Derec,

Rŵan mae'r HWYL yn dechrau!

(N e u falla DDIM ?)

Mae'r capteiniaid timau'n dosbarthu FFURFLENNI TWTIO'R CABANAU. (Nid fy syniad i o hwyl.)

Canolfan Weithgareddau
FFURFLEN TWTIO'R CABAN
Caban Haf B

	TWT	GWELWYD	PWYNTIAU
DYDD 1			
DYDD 2			
DYDD 3			
DYDD 4			

GWOBRAU GWYCH AM Y PWYNTIAU UCHAF!

Dwi'n reit dda am rai pethau – ond dydi bod yn dwt ddim yn un ohonyn nhw.

Fe gawson ni FAPIAU o'r ganolfan hefyd. Dwi wedi rhoi f'un i yma er mwyn peidio gorfod egluro lle mae bob dim – handi, yntê?

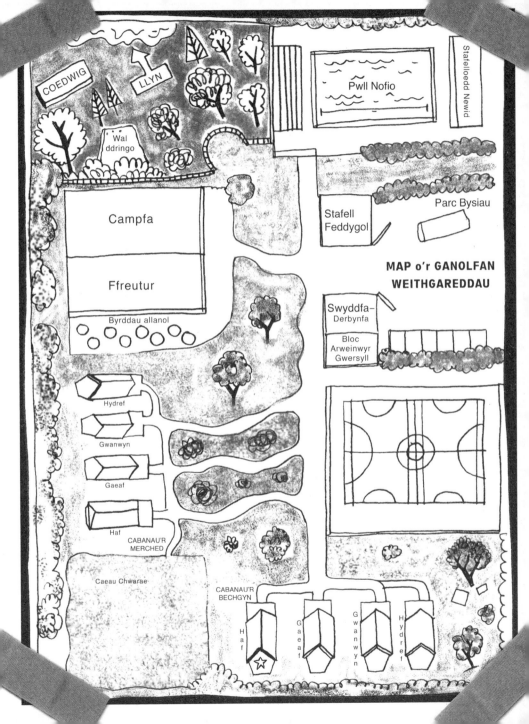

Nodais fy nghaban i efo SEREN ar y map.

Yng NGHABAN ⌐HAF.⌐ B o'n i, ynghyd â:
Bryn, Norman, Caled, Carwyn (alla i ddim dianc
rhag hwn!), Lemiwel a Marc.

Roedd Derec mewn caban arall efo'i
ddosbarth o – CABAN ⌐GWANWYN.⌐ B –
drws nesa i un ni, felly ⌐nid⌐ yn bell i ffwrdd.

Fe welwch o'r map fod dau gaban arall
gerllaw, o'r enwau (ia, dyna chi) ⌐HYDREF.⌐ a
⌐GAEAF.⌐

Roedd lloriau pren yn y cabanau a gwelyau
bync cyfforddus (briliant!). Y tu mewn i'r cypyrddau
roedd gwahanol adrannau ar gyfer pob gwely bync,
ynghyd â drych a chydig mwy o ddroriau
ar gyfer stwffio pethau i mewn
iddyn nhw. Roedd ein bagiau'n
sefyll mewn rac wrth y drws.

Ond yr unig un a fedrai gyrraedd y silff uchaf oedd Caled (handi iawn).

Ro'n i am rannu efo Caled, a oedd awydd cysgu ar y BYNC UCHAF. Ond newidiodd o'i feddwl pan aeth yn sownd wrth ddringo i fyny.

Rhy anodd i mi,

meddai wrtha i. Roedd Bryn Siencyn a Norman eisoes wedi dechrau rhedeg o gwmpas y stafell, gan neidio o un bync i'r llall.

Yna stompiodd Mr Ffowc i mewn i'r caban gan bwyntio at ei stafell ef gyda'r RHYBUDD...

Dwi ddim am gael fy hambygio gynnoch chi'n chwarae o gwmpas drwy'r amser, felly BIHAFIWCH, FECHGYN!

Atebodd y ddau, "Iawn, syr."

(Ond mewn ffordd ddigon llipa.)

Chymerodd y dadbacio 'run chwinciad i mi. Mae'n WYRTHIOL faint o bethau y gallwch chi eu stwffio i mewn i wardrob ag un llaw.

Atgoffodd Caled fi ein bod ni i fod i newid i'n dillad chwaraeon ar gyfer y pnawn.

Roedd hyn yn golygu tynnu bob dim ALLAN eto. A dyna pryd y cefais i

Caru TI
Twm xx

hyd i'r rhain: Mwy o NODIADAU Mam (sblych).

Roedd hi wedi rhoi un yn fy nhrênyr.

Do'n i ddim yn gallu ffeindio fy nghrys chwys – ond gwyddwn ei fod o'i mewn yno'n rhywle. Cipiwyd fy sylw pan benderfynodd Norman (a oedd yn llawn bywyd ar ôl yr holl snaciau ar y bws) ei fod am

ROOLIIIOOO

mewn llinell syth o dan y gwelyau i gyd gan ddeud...

HELÔôôô

Roedd hyn yn reit ddigri nes iddo fo rolio reit dros draed Mr Ffowc.

Cwyd oddi ar fy nhraed i, Norman, ac oddi ar y llawr hefyd.

Roedd Mr Ffowc eisoes wedi deud wrth bawb, **"Dim ond am DRI DIWRNOD dach chi yn y Ganolfan Weithgareddau, felly does WIR ddim ots pa wely dach chi'n ei ddewis."** (Ond roedd ots gan Carwyn.)

Llyncodd HYMDINGAR o ful ynglŷn â pha wely roedd ganddo.

"Fydda i ddim yn gallu cysgu ch ch ch ch ch os na cha i'r gwely pen," meddai wrth Marc Clwmp

(a oedd yn y gwely pen).

Meddai Marc Clwmp, "Iawn, mi newidiwn ni, oherwydd gallaf weld y  SLUMOD o'r gwely yma'n well o LAWER."

Cafodd Carwyn fraw.

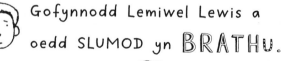 Pa SLUMOD?

"Y SLUMOD yn y goedwig acw," meddai Marc. "Maen nhw'n hoffi hen goed ac weithiau maen nhw'n cysgu mewn sguboriau ... neu hyd yn oed mewn caban fel hwn."

Gofynnodd Lemiwel Lewis a oedd SLUMOD yn BRATHU.

Troed-
fawr

148

"**N**id slumod FAMPIR ydyn nhw!"
sicrhaodd Marc ni.

Roedd yr holl sôn yma am SLUMOD yn
gneud Carwyn yn **ANNIFYR** i gyd.

"Be ti'n feddwl,

SLUMOD FAMPIR?"

"**Na** – nid slumod fampir – slumod
cyffredin. Maen nhw'n hongian mewn corneli
stafelloedd neu mewn tyllau yn y nenfwd."

Dwedodd Marc Clwmp wrth Carwyn fod
dim angen i neb ofni slumod. Ac meddai Carwyn,

"Dwi ddim ofn SLUMOD – does
'na ddim byd yn codi ofn arna i."

(Os wyt ti'n deud, Carwyn.)

Ond be wnaeth Carwyn oedd mynd i ofyn i Mr Ffowc os y câi newid gwely ETO!

Meddai, "Alla i ddim cysgu mewn cornel – dwi wir angen bod yn y gwely canol, ar y bync UCHAF."

(Y fi oedd yn y gwely canol ar y bync uchaf.)

Ochneidiodd Mr Ffowc a deud wrtho,

"Mae peryg y byddi di'n hwyr i ginio. Os nad oes ots symud gan Twm, yna mae'n iawn gen i."

Ro'n i isio bwyd a'r unig beth oedd ar fy meddwl oedd BWYTA – felly dwedais, "IAWN. Mi symuda i." A dwedais wrth Carwyn y baswn yn nôl fy stwff i gyd wedyn.

Cyn i ni fynd am ginio, llwyddais i gipio fy nghrys chwys oddi ar y llawr a dilyn Mr Ffowc allan o'r caban.

150

Ar y ffordd i'r ffreutur, dwedodd Mr Ffowc ein bod yn rhannu'r ganolfan efo...

YSGOL PLAS MAWR.

a wnaeth i ni i gyd riddfan. Mae'r ysgol yna'n GYFOGLYD o dda am bopeth.

(Ysgol Caederwen v. Ysgol Plas Mawr = LLWYDDIANT i Ysgol Plas Mawr bob un tro. Roedd eu plant nhw eisoes wedi:

Cyrraedd yn gynnar

Wedi gneud gweithgaredd.

Wedi bwyta cinio.

Nid fel y ni o Ysgol Caederwen – 'mond yn cael cinio o drwch blewyn.

Fy nadbacio

Ro'n i'n sefyll yn y rhes ginio yn dewis be i'w fwyta (pasta neu gyw iâr – neu'r ddau?)

Ha!
Ha!
Ha!

pan glywais ryw

CHWERTHIN yn dod o'r tu ôl i mi.

Ha!
Ha!

Roedd Derec eisoes yn bwyta – felly dewisais y pasta a mynd i eistedd ato fo. Dechreuodd mwy o bobol chwerthin – 'sgwn i be oedd mor DDIGRI?

Cymharodd Derec a finna ein cinio i ddechrau. ('Run fath.)

Yna'r cabanau. "Oes 'na SLUMOD yn d'un di?" gofynnais. "Nid i mi wbod," meddai Derec.

Cerddodd EFA PARRI a Ffion Morris heibio ac fe ddechreuon nhw CHWERTHIN hefyd.

152

Pan ymunodd Carwyn yn yr hwyl ...
wel, DIGON oedd digon a gofynnais iddo fo,

Ha! Ha! "Be sy mor ddigri, Carwyn?"

Meddai fo,
"TI SY, TWM!"

Yna sylwodd Derec fod rhywbeth yn
SOWND yn fy nghefn a'i dynnu i ffwrdd.
"Falla mai dyma pam fod pawb
yn chwerthin."

'Mond nodyn ARALL gan MAM.

TWM ANNWYL
– DY GOLLI DI'N
OFNADWY

SWS SWS
Mam xx

Sblych.
(Gan groesi 'mysedd fod DIM
mwy o negeseuon Mam yn unman!)

CYNTAF IE!

Ar ôl cinio, daw JO,

y CAPTEN TÎM, i'n nôl ni.

Roedd arno isio gwbod...

Ydach chi'n BAROD i gychwyn, 'ta?

A bloeddiodd pawb, "**YDYN!**"

Yna gofynnodd, "**Dwylo i fyny os**

dach chi'n hoffi adeiladu a gwneud pethau?"

Dwi'n DWLI ar neud pethau, felly mi

es i braidd dros ben llestri a gweiddi,

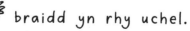

"**YDW, FI! Ie, fi!**"

braidd yn rhy uchel.

"**Callia, Twm,**" meddai Mr Ffowc.

(Fel arfer, Norman ydi'r un i orgynhyrfu.)

Pan gafodd Derec ei roi yn yr un grŵp â mi, cynhyrfais fwy FYTH. (Ynghyd â Caled, Norman, Indrani, Carwyn a Jenni – a oedd yn teimlo'n well o lawer rŵan, medda hi.)

Dwi'n meddwl bod Derec a minnau'n reit dda am neud pethau (er mai fi fy hun sy'n deud). Yr wsnos diwetha adeiladon ni gwt GWYCH yn yr ardd. Lle da IAWN i guddio pan oedd:

1. Mam isio i mi dacluso fy stafell.

2. Delia'n chwilio am ei chopi diweddaraf o ROC NAWR.

3. Dad yn holi pawb lle oedd ei fisgedi wedi mynd.

Pry cop yn adeiladu

Castell tywod morgrugyn

Ie!

Cadwch ALLAN

Bisgedi

156

Dangosodd Jo a'r capteiniaid tîm eraill lwyth o STWFF wedi'i osod allan ar y glaswellt.

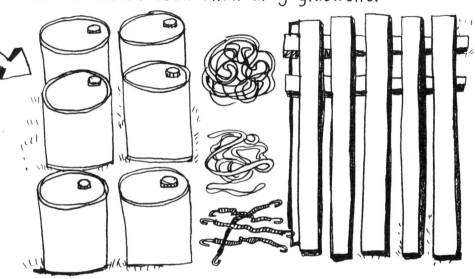

"All rywun ddyfalu be fyddwch chi'n ei neud heddiw?"

Meddyliodd Bryn Siencyn mai jôc fawr oedd sibrwd, Teisennau bach? Cafodd *WG* MAWR gan Mr Ffowc.

(Chwerthin wnes i.) Cynigiodd Marc Clwmp ein bod ni'n gneud LLONG OFOD!

157

(Gallwn i weld hynny'n gweithio, rywsut.)

Meddai rhywun arall, "Tŷ?"

(Falla, falla ddim)

Cyn i **EFA PARRI** ddweud, RAFFT?

Sef yr `ateb` ✔ cywir.

Meddai **JO** wrth **EFA** "Da iawn ti,"

cyn egluro beth oedd o am i ni ei neud.

 1. Meddwl sut rydan ni
am **DDYLUNIO** rafft.

 2. Dyfalu sut rydan ni am **WNEUD**
ein rafft.

 3. Defnyddio'r deunydd sy gynnon
ni i **ADEILADU** rafft.

Dwedodd Jo ei fod yn "bwysig iawn ein bod yn gweithio efo'n gilydd fel tîm."

Haws deud na gneud efo CARWYN yn ein grŵp ni.

Sblych

Dwi'n gwbod sut i neud hyn.

Mynnodd gynnig ffyrdd **OD** o roi'r rafft at ei gilydd.

Be am glymu hon i goeden?

Pam?

Cymerodd cryn dipyn o amser i ni – ond o'r diwedd, gyda help llaw gan Siani, capten tîm arall, cafodd y rafft ei gorffen.

Capten Tîm

Fe gawson ni'n llongyfarch gan Mr Ffowc a'r capteiniaid tîm am

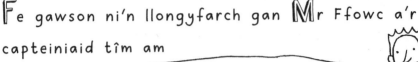

orffen eich gweithgaredd cyntaf!

Meddai Jo, y capten tîm, "**Cawn weld rafft pwy fydd yn ennill y ras rafftiau fory!**"

RAS RAFFTIAU - PA RAS RAFFTIAU?

"Ro'n i wedi anghofio am hynny," meddai Caled. Nid y fo oedd yr unig un. Un peth ydi adeiladu rafft – mae ei RASIO yn beth hollol wahanol.

"Gobeithio mai un fer fydd y ras," meddai Derec. "Dwi'n amau a fydd ein rafft ni'n gorffen o gwbwl."

Roedd ganddo bwynt.

Y Noson GYNTA yn y CABAN

GWLEDD

Roedd Norman, Lemiwel a Caled ar dân isio cynnal ganol nos.

Syniad ardderchog.

Ond ro'n i wedi bwyta'r rhan fwya o'm snaciau yn ystod y siwrne (heblaw am ddwy fanana efo dŵdls arnyn nhw).

Felly amser swper ceisiais SLEIFIO ychydig o fwyd o'r ffreutur o dan fy nghrys chwys.

Ond y cwbwl ges i oedd dwy fisgeden a ... banana arall, ond mae'n siŵr fod hynny'n well na dim byd.

Ar y ffordd i'r caban, fe gawson ni sgwrs efo rhai o'r plant o Ysgol Plas Mawr, a oedd i'w gweld yn ddigon clên.

Dywedon nhw wrthon ni am y **wal ddringo** a pha mor **UCHEL** roedd hi.

Meddai Carwyn Campbell,

"Dydi'r wal yna ddim yn edrych yn uchel i mi!"

Ond roedd hyd yn oed Caled (sy'n hynod o **DAL**) yn credu ei bod hi'n wal i'w hofni.

Broliodd Carwyn, "Dwi wedi dringo rhai uwch."

"Pryd oedd hynny felly, Carwyn?" holodd Derec.

"Ar wyliau – roedd o'n fynydd **@**nferth. Bydd wal fel'na'n hawdd i foi fel fi," mynnodd Carwyn.

Gawn ni weld, meddwn.

Yna atgoffais Carwyn fod fy stwff yn dal i fod yn ei gwpwrdd o.

Dwi wir ei angen o'n ôl, dwedais.

Bisgedi neis ⟶

162

Plonc!

Y cyfan wnaeth Carwyn oedd tynnu bob dim allan a'u dympio nhw ar fy ngwely. Basa hynny'n iawn – heblaw bod un arall o nodiadau Mam wedi syrthio allan o hosan!

Llwyddais i'w **gipio** fo cyn i Carwyn ei ddarllen o'n **uchel** i bawb.

FFIW!

(Roedd Mam wedi sôn am fy nhedi yn y nodyn – a basa hynny wedi fy nhroi'n **DOMEN** o chwys.)

Cynigiodd Bryn Siencyn ein bod – YN OGYSTAL â chael gwledd am hanner nos – yn chwarae **TRICIAU** ar rai o'r plant eraill.

Sut fath o DRICIAU?

gofynnodd Marc Clwmp.

 Cuddio petha yng ngwelyau pobol eraill – y math yna o beth.

 "Be, fel gwely crymbl afalau?"

meddai Norman.

Dwedais wrtho fo,

"Gwely 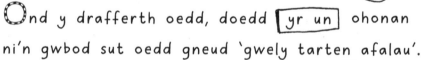 tarten afalau, ti'n feddwl."

"IA! Mi ddylan ni neud un o'r rheiny."

Ond y drafferth oedd, doedd yr un ohonan ni'n gwbod sut oedd gneud 'gwely tarten afalau'.

Daeth Mr Ffowc i'r caban a meddyliodd o ein bod ni'n brysur yn gwneud ein gwelyau'n daclus. Meddai, **"Da iawn chi, fechgyn"** a rhoddodd i ni ein PWYNT cyntaf ar y daflen CABAN TWT.

Canolfan Weithgareddau
FFURFLEN TWTIO'R CABAN

Caban Haf B

	TWT	GWELWYD	PWYNTIAU
DYDD 1			
DYDD 2			
DYDD 3			
DYDD 4			

GWOBRAU GWYCH AM Y PWYNTIAU UCHAF!

 Cafodd Marc Clwmp syniad **arall**

"Hei, mae gen i syniad arall!" Yna aeth allan i chwilio am fochyn coed.

"Ydi'r rhain yn eich atgoffa o rywbeth?" gofynnodd i ni.

"Mochyn coed ydi o, twpsyn," meddai Carwyn.

"Coeden Nadolig fach?" Oedd yn wir – maen nhw yn edrych fel coed bychain – ond nid dyna'r ateb roedd ar Marc isio'i glywed. **"Na, na** – maen nhw'n edrych fel ...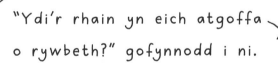

... LLYGOD." (Wir?)

Meddai Marc, "Mi ddangosa i i chi. Clymwch ddarn o linyn i waelod y mochyn, yna llusgwch o ar hyd y llawr."

Roedd chydig o linyn yn dal i fod gan Lemiwel ar ôl gneud y rafftiau – rhoddod hwn i Marc er mwyn iddo fedru dangos i ni.

LLINYN

"Dyna chi, llygoden!"

(Doedd y mochyn coed ddim yn edrych llawer fel llygoden.) Ond roedd yn edrych yn debycach i un drwy lygaid cul.

Yna rhoddodd Marc y mochyn coed dan ei ddillad gwely a thynnu'r llinyn yn araf tuag ato.

Reit – roedden ni'n dallt rŵan.

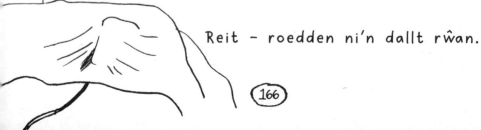

Gwnaeth Norman a Caled neidr Sanau hefyd.

Roedd yn amseru perffaith oherwydd dyna pryd y cerddodd criw o blant o Ysgol Plas Mawr heibio i'n caban.

GWAEDDODD Bryn, "HEI, DRYCHWCH, mae 'na lygoden neu ryw GREADUR od yn ein caban ni! Dowch, bryswich!"

Daethon nhw i'r drws ac edrych o'u cwmpas. "Lle ma'r creadur 'ma, felly?" gofynnodd un plentyn. Pwyntiodd pawb ohonom at y gwely, lle roedd y siâp llygoden yn dechrau symud.

Roedd Marc Clwmp yn cuddio wrth y gwely, yn cydio yn y llinyn, a dechreuodd ei dynnu tuag ato.

"Be ydi *HWNNA?*" meddai un plentyn.
"Dwi ddim yn siŵr, ond mae golwg ... amheus arno," meddai un arall.

(Roeddan ni i gyd yn trio peidio â CHWERTHIN.)
Yna meddai un o'r plant llai,
"Dwi'n gwbod be ddylan ni ei neud efo rhywbeth fel'na."

Yn araf, tynnodd un o'i sgidiau a rhoi coblyn o ... SWADAN i'r lwmp!

Yna

SWADAN! arall.

Nes ei fod wedi peidio symud ...

yn gyfan gwbl.

Gylp

(169)

 "Dyna ddiwedd ar hynna," meddai. "Chewch chi ddim mwy o nonsens gan y creadur yna rŵan."

Cawson ni i gyd gryn `SIOC`. Ond yna dechreuodd plant Plas Mawr CHWERTHIN wrth fynd allan o'r caban.

 Ha! Ha! Ha!

Dwi'n siŵr eu bod yn gwbod drwy'r amser nad llygoden oedd yno. (Ac ro'n i'n iawn.)

"Y nhw sy wedi chwarae tric arnon *ni*," meddai Caled.

 Mochyn coed wedi malu

(Mor wir.)

 **Gwleddau a thriciau canol nos**

Tra oedd y capteiniaid tîm yn brysur yn deud wrth bawb am baratoi i fynd i'r gwely, ro'n i'n brysur yn chwilio am fy mhyjamas. A oedd ar goll.

Diolch byth, daeth Caled i'm hachub gyda chrys-T sbâr **ANFERTH IAWN** a oedd yn cyrraedd at fy mhengliniau. O leia roedd gen i rywbeth i'w wisgo rŵan, hyd yn oed os oedd o'n edrych braidd fel coban.

Diolch, Caled

Ffiw.

Dechreuodd ein noson gynta yn y caban efo Mr Ffowc yn ein hatgoffa ni,

"Mae gynnon ni ddiwrnod **LLAWN DOP** fory, felly bydd angen noson dda o gwsg arnoch chi i gyd."

(Doedd Norman ddim yn edrych yn gysglyd o gwbwl.)

Meddai Mr Ffowc, **"Golau allan, ewch i gysgu – a peidiwch â gadael i'r chwain eich brathu!"**

"Pa chwain, syr?" mynnodd Norman gael gwbod.

Sicrhaodd Mr Ffowc ni mai dim ond dywediad oedd o. **"Does 'na ddim chwain go iawn."** Yna caeodd y drws a diffodd y golau.

Ceisiodd Caled godi o'i wely'n ddistaw bach ond roedd POB UN astell o dan ei draed yn GWICHIAN FEL COBLYN wrth iddo gerdded.

Sorri, sibrydodd. Awgrymais falla y basa'n haws i Caled aros yn ei fync.

Mi ddown ni draw atat ti a Carwyn.

Doedd dim peryg fel yna i Caled ddeffro Mr Ffowc. Felly, fesul un, dyma ni'n sleifio draw yn ddistaw gan estyn ein SNACIAU ar gyfer y wledd ganol nos. ✱ ☾
(Wel, doedd hi ddim yn ganol nos ...
✱ ⚡

... nac yn fawr o **wledd** chwaith.)

bisgedi

CREISION

Rholiau bara

Da-Da

Creision

Choco CRAWC

CHOCO CRAWC

Basa Nain wrth ei bodd efo [fy] snaciau i, fodd bynnag. Roedd gen i bedair bisgeden a banana, felly dyna neud "brechdanau" bisgedi-banana, a rhoi un i Caled. (Roedden nhw braidd yn sgwishi ond yn blasu'n iawn.)

Roedd pecyn o greision gan Norman. Bwytaodd nhw wrth sgleinio golau dan ei ên a chreu ystumiau brawychus. Dwedodd Carwyn Campbell na fedrai o rannu ei dda-da gan mai dim ond pedwar oedd ganddo ar ôl. Ond gallwn ei glywed o yn y tywyllwch yn dadlapio a bwyta **LLAWER** mwy na phedwar.

Da-da slei

Yna cofiodd Bryn Siencyn yn sydyn fod ganddo baced MA**W**R o **BOPCORN**.

Meddai, "Mi gawn ei rannu," chwarae teg iddo fo.

Sgleiniodd Norman ei dortsh ar y llawr er mwyn i Bryn allu nôl ei bopcorn.

GWICH

Roedd Mr Ffowc yn dal i fod yn symud o gwmpas yn ei stafell. Meddai Lemiwel, "SHHHHHHHHhhhhh" wrth i Bryn sefyll yn llonydd fel cerflun rhag ofn iddo fo ddod yn ôl i mewn.

Llonydd

Rhewi

Arhosodd Bryn nes ei fod yn saff iddo symud, cyn trio bob ffordd i agor y pecyn popcorn.

"Alla i mo'i agor o!" sibrydodd.

Grrrr

POPCORN

176

Yna triodd Caled.  Grrrrrr.

(Dim byd yn digwydd.)

Yna gwnaeth Norman a Lemiwel eu gorau i agor y pecyn. Wnaeth hynny ddim gweithio chwaith, felly ges i dro.

Gwrthodai'n glir ag agor.

CIPIODD Carwyn y pecyn mawr oddi arna i.

"Tyrd â fo yma. Dach chi'n dda i ddim byd. Mi wna i agor y pecyn."

A be wnaeth o? EISTEDD ar y POPCORN.

WWWFFFF.

Daeth Mr Ffowc i mewn ar wib gan gynnau'r golau.

"BE GOBLYN SY'N DIGWYDD?"

meddai. (Ni fu'n hir cyn iddo weld.)

Roedd yn rhaid i ni glirio gymaint o bopcorn â phosib cyn cael mynd yn ôl i'n gwelyau gan addo – dim rhagor o wleddau, snaciau, na chwarae'n wirion.

"Ydi hynny'n GLIR, fechgyn?"

"Ydi, syr."

Ar ôl iddo gau'r drws, roeddan ni'n dawel am ychydig bach hirach na'r tro diwetha.

Nes i Marc Clwmp ddeud ei fod o'n gallu clywed YSTLUM.  "Lle?" sibrydais.

"Y tu allan, yn hedfan o gwmpas," meddai Marc.

"Nid YSTLUM fampir?" gofynnodd Lemiwel. Cododd pawb ac edrych allan drwy'r ffenest.

Do'n i ddim yn gallu gweld unrhyw slumod. Ond roedden ni'n gallu clywed Mr Ffowc yn anelu am ei ddrws unwaith eto. NEIDIODD pawb yn ôl i'w gwelyau mor gyflym â phosib.

Yna sibrydodd Bryn Siencyn...

"Mae 'na NEIDR yn fy ngwely i!"

"Sssshhhhhhh,"

meddai pawb wrtho.

"Dim ond neidr hosan ydi hi," meddai Norman.

LLUCHIODD Bryn hi drosodd at Norman.

Yna taflodd Norman hi drosodd at Lemiwel, a meddai hwnnw, "Wwwfff!" A lluchiodd Lemiwel hi'n ôl at Norman, a smaliodd ei fod o'n ymladd efo hi.

Yna cafodd Carwyn ei fachau arni cyn ei thaflu hi drosodd ata i. Dwedodd Norman wrtha i am ei thaflu hi drosodd ato fo. Do'n i ddim yn siŵr a fedrwn i ei lluchio hi mor bell â hynny, felly dyma fi'n creu ychydig mwy o gyflymder drwy ei swingio hi o gwmpas fy mhen ychydig o weithiau... Yna o'r diwedd... gollyngais fy ngafael ar y neidr hosan, a aeth ...

fel SEREN WIB drwy'r awyr gan lanio reit ar ...

... BEN Mr Ffowc wrth iddo gynnau'r golau.

"Dyma'ch cyfle OLAF, chi os nad ydych chi eisiau gwneud gwaith sgrifennu trwy'r dydd fory."

Sorri, syr. (Doeddan ni ddim isio hynny.)

Bore da!

Diwrnod braf!

Ro'n i poeni y basa Mr Ffowc mewn hwyliau DRWG IAWN fore heddiw, ar ôl ein (rhyw fath o) wledd ganol nos a'r busnes hwnnw efo'r neidr hosan. Ond roedd o'n rhyfeddol o SIRIOL ac yn HOLLOL EFFRO. Nid fel fi.

Roedd hyn oherwydd fy mod i, ar ôl i bawb arall fynd i gysgu, wedi sylweddoli fod BRYN SIENCYN yn siarad yn ei gwsg. Cafodd sgwrs GYFAN efo'i lygaid ynghau am gŵn ac fel roedd o'n ysu am gael mynd â nhw am dro.

Ceisiais ei ddeffro fo – ond doedd dim yn tycio. 'Runig beth ddwedodd o oedd,

Deffra, Bryn

Dyna hogyn da.

Tyrd AM DRO, boi.

Mwydrodd fwy neu lai drwy'r nos, a chofio dim am y peth yn y bore.

(183)

Gobeithio'n wir nad oedd Bryn am neud hynny bob
nos neu falla byddai'n rhaid i mi newid gwely eto fyth.

Diolch i holl "SGWRSIO" Bryn, ro'n i braidd
yn gysglyd dros frecwast.

Llwyddodd Siani'r Capten Tîm i'm deffro
rywfaint wrth floeddio,

"Bore da, bawb!" dros y lle. "Gobeithio'ch bod
chi i gyd wedi cysgu'n dda ac yn barod nawr
am chydig o HWYL!"

(Wel, falla.)

Dwedodd bod ein rafftiau wedi cael eu symud i'r
llyn yn barod ar gyfer y RAS.
(GRÊT.) "Felly i ffwrdd â ni!"

Jo, y Capten Tîm arall, aeth â ni yno.

Dilynon ni nhw drwy'r goedwig ac i'r
llyn, lle roedd pwy bynnag a oedd yn cystadlu
yn y ras yn gorfod gwisgo helmed a siaced
achub. Mynnodd Carwyn ei fod o'n
eistedd yng nghefn y rafft.

"Mi fedra i lywio'r rafft a rheoli pawb," meddai.

"Ia, deuda di, Carwyn," dywedais (fel tasa gynnon ni ddewis).

Atgoffodd Jo, y Capten Tîm, bawb ohonon ni, "**Padlwch yn ofalus, mor** ➡ **syth ag y medrwch chi, i'r linell orffen. Allith pawb wneud hynny?**"

Atebodd pawb GALLWN (hyd yn oed os nad oedden ni).

Wrth edrych ar ein rafft ni – ro'n i'n amau a fydden ni'n gallu mynd yn bell iawn. Roedd Ysgol Plas Mawr yn cystadlu yn y ras hefyd ac roedd eu rafftiau nhw'n edrych yn wahanol iawn i un ni.

Capten Tîm

Awgrymodd Jenni ein bod ni i gyd yn padlo yr un pryd 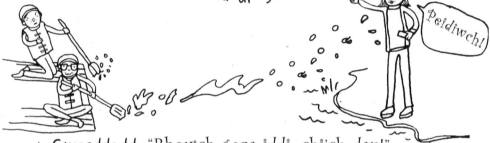 (a oedd yn syniad da). Ond roedd Carwyn yn rhy brysur yn FFLICIO dŵr at Norman i wrando arni.

Yna ffliciodd Norman ddŵr yn ôl, ond i'r rhan fwya ohono fynd dros ben Mrs Williams, a oedd yn ceisio tynnu lluniau ar gyfer cylchlythyr yr ysgol.

Peidiwch!

Gwaeddodd, "Rhowch gora iddi, chi'ch dau!"

Pan chwythodd Jo'r Capten Tîm ei chwiban i gychwyn y ras, dechreuon ni i gyd badlo fel FFYLIAID - ond nid yr un pryd - na chwaith i'r un cyfeiriad. Doedd ein rafft ni heb fynd yn bell iawn, dim ond troi rownd a rownd mewn cylchoedd "PADLWCH EFO'CH GILYDD," meddai Jenni wrthon ni (eto) wrth i ni droi mewn cylch am y TRYDYDD TRO.

Cododd Carwyn ar ei draed (coblyn o gamgymeriad). "Stedda, Carwyn," meddai Derec, oherwydd roedd o'n achosi i'r rafft SIGLO.

Dechreuon ni symud ymlaen o'r diwedd, yn ara deg ac YMHELL y tu ôl i'r rafftiau eraill.

Gallwn glywed CYMERADWYO'n dod oddi wrth y plant eraill ar lan y llyn, ac roedd hynny'n helpu. Gwaith CALED oedd padlo.

Wrth i ni nesáu at y Capten efo'r faner wrth y llinell orffen, llwyddodd Carwyn i LUSGO llwyth MAWR o chwyn o'r llyn efo'i rwyf a glaniodd hwnnw ar goesau NORMAN.

Ceisiodd ei ysgwyd i ffwrdd, a gwnaeth hynny i'r rafft ddechrau YSGWYD i'r ochr, yn ôl ac ymlaen. "PEIDIWCH â symud, dach chi'n gneud i mi deimlo'n sâl!" gwaeddodd Jenni.

Yna SAFODD Carwyn eto, gan beri i Norman golli'i falans a syrthio i mewn i'r dŵr...

... a minnau ar ei ôl o, yna Derec ac yn olaf, Jenni.

Cymerodd Carwyn arno nad oedd ganddo GLEM sut y digwyddodd hyn. Roedden ni i gyd wedi ei sblasio wrth i ni syrthio i mewn, felly doedd o ddim yn hollol sych. Ysgol Plas Mawr enillodd y ras (dyna syrpréis!). A'n tîm ni oedd yn ola, ond doedd dim ots am hynny oherwydd roedd bod yn y llyn yn dipyn o hwyl (doedd o ddim yn ddwfn iawn). Dringodd pawb allan a mynd i'n cabanau i newid o'n dillad gwlyb ac i baratoi ar gyfer pnawn o ddringo'r wal. Gobeithiais y byddai hynny'n hwyl, hefyd, fel roedd y bore ar – ac yn – y llyn.

Ie!

DRINGO'R WAL

Gan mai Carwyn Campbell oedd yr unig un i beidio syrthio i mewn i'r dŵr, mwy fyth o boen oedd gorfod gwrando arno'n hefru YMLAEN ac YMLAEN am "Mae dringo'r wal yn HAWDD – wel, i mi, gan fy mod i'n ddewr IAWN, wyddoch chi."

(Wir, Carwyn?) Daeth fel tipyn o syrpréis felly fod Carwyn, pan welodd o'r WAL am y TRO CYNTAF, wedi cael poen sydyn yn ei stumog.

Poen a dyfai'n waeth ac yn waeth wrth iddo syllu i FYNY ar y WAL.

Ond dwedodd Norman ei fod yn YSU am gael dechrau dringo a gofynnodd am gael bod y cynta i fynd.

189

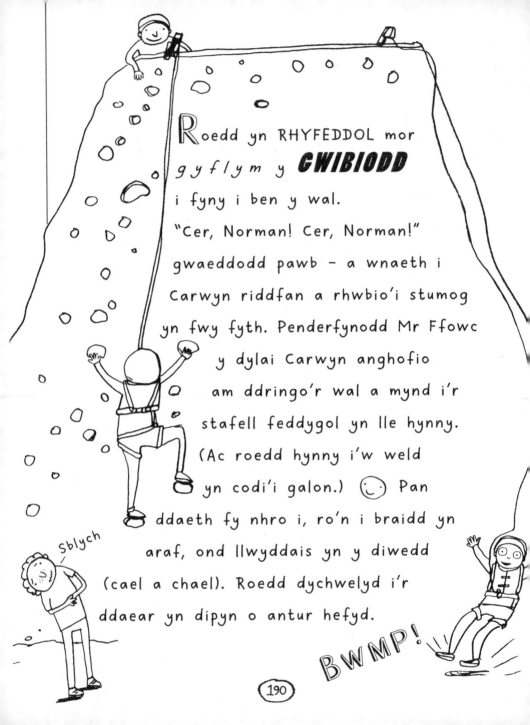

Roedd yn RHYFEDDOL mor gyflym y **GWIBIODD** i fyny i ben y wal. "Cer, Norman! Cer, Norman!" gwaeddodd pawb – a wnaeth i Carwyn riddfan a rhwbio'i stumog yn fwy fyth. Penderfynodd Mr Ffowc y dylai Carwyn anghofio am ddringo'r wal a mynd i'r stafell feddygol yn lle hynny. (Ac roedd hynny i'w weld yn codi'i galon.) ☺ Pan ddaeth fy nhro i, ro'n i braidd yn araf, ond llwyddais yn y diwedd (cael a chael). Roedd dychwelyd i'r ddaear yn dipyn o antur hefyd.

Sblych

BWMP!

Llwyddodd pawb, heblaw Carwyn, i ddringo'r WAL uchel iawn.

Basa gen i FWY o gydymdeimlad tuag at Carwyn taswn i ddim wedi'i ddal o'n SGLAFFIAN LLWYTH O DDA-DA pan ddychwelon ni i'r caban. Y-y?

Mynnodd fod y DA-DA wedi gneud iddo deimlo'n well o lawer, a... gallai ddringo'r wal yna rŵan yn bendant. Dim problem (Gan wbod yn iawn ei fod o'n rhy hwyr.) Dwedodd Caled wrtho fo, "Roedd dringo'r wal yna'n anos o LAWER nag roedd o'n edrych." Ar ôl cuddio'i dda-da, meddai Carwyn, "Doedd o ddim yn edrych yn anodd iawn i mi."

"Sut faset TI'N gwbod?" gofynnais. A meddai Carwyn, "Nid fy mai oedd o fod gen i boen yn fy stumog, dwi'n ddringwr da ac yn DDEWR hefyd."

"**D**wyt ti **ddim mor DDEWR** â hynny,"
dwedais, a oedd yn ddigon **gwir**.

"Wel, dwyt titha ddim chwaith,"

 meddai Carwyn.

"Sut felly?" gofynnais iddo.

"**F**asa person **DEWR** ddim wedi dod â
thedi bach cydli-wydli efo fo i rannu ei wely."

Y?

Roedd Carwyn wedi bod yn chwilota.

"Diolch yn fawr iawn, Carwyn," dwedais, gan
deimlo cywilydd mawr.

Yna meddai Bryn, "Be sy'n bod efo cael
tedi?" Nid y fi oedd yr unig berson gyda thegan
meddal wedi'r cwbwl.

"Alla i ddim cysgu heb f'un i," meddai Lemiwel.
A **GAEODD** geg Carwyn.

Raar

Ond wedi deud hynny, taswn i'n Norman, faswn i ddim wedi sôn fod gen i

FLANCED GYSUR.

"Be - 'sgen neb arall
flanced gysur, felly?"

Nag oes, 'mond y chdi, Norman.
(Roedd golwg afiach arni hefyd).

AMSER
SWPER

Dyma lun o fy mhlât wag ar' ôl i mi **SGLAFFIAN**
fy mwyd i gyd heno gan ei fod o mor WYCH!
AC mi ges i ail lwyth o hufen iâ hefyd.

Briwsion
bach ar ôl

Iym

Doedd Carwyn ddim wedi gallu gorffen ei swper,
diolch i'r holl dda-da slei y bu'n eu bwyta'n
gynharach. — Ych

Dywedodd Siani'r Capten Tîm fod gynnon
ni rywbeth arall i edrych ymlaen ato rŵan hefyd.
Yna rhoddodd becyn bach neu amlen i
bawb eu hagor.

Mi ges i ddau lythyr a wafferi caramel. Er nad oedden ni oddi cartre mor hir â HYNNY, roedd yn braf cael llythyr a THRÊTIAU. (Dwi'n amau mai'r athrawon ddaeth â phob dim efo nhw – dyna sut y cawson ni i gyd ein llythyron ar yr un pryd.) Dyma fo f'un i:

Helô, Twm!

Gobeithio dy fod yn cael amser GWYCH yn gneud pob mathau o bethau CYFFROUS yn y ganolfan.

Mae'r tŷ'n ddistaw iawn hebddot ti. Ond tra wyt ti i ffwrdd rydan ni wedi bod yn brysur yn peintio dy stafell wely (bydd yn edrych yn wych pan ddoi di adra!) a'i THACLUSO hi hefyd. Coblyn o job fawr.

Dyma chydig o wafferi ar gyfer y daith adre. Paid â'u bwyta nhw rŵan.

Gwelwn i ti'n fuan iawn.

Cariad mawr,

Mam a Dad xx

Yna cefais andros o **Syndod**, gan fod y llythyr arall oddi wrth ... Delia.

Twm,

Hoffwn i fedru dweud fy mod yn dy golli di ond celwydd fasa hynny.

Tra wyt ti i ffwrdd mae Dad am beintio ac addurno dy stafell wely. Roedd o'n methu penderfynu ar y lliw. Felly awgrymais i y basa cymysgedd o streipiau a smotiau ... mewn gwahanol liwiau yn reit neis.

Pan ddoi di adre, falla byddi di angen sbectol haul i edrych arni. Mae Nain yn gneud TEISEN CROESO ADRE i ti. Gobeithio dy fod yn hoffi bresych.

Dwedais wrthi dy fod wrth dy fodd efo bresych, felly bydd digonedd yn y deisen.

(Ha Ha) Oddi wrth Delia x

Yna sylwais fod yna O.N. ar dudalen arall.

O.N. Mi ddes o hyd i dy gynllun ar gyfer y gystadleuaeth crys-T 3DIWD. Wnest ti anghofio'i BOSTIO fo, twpsyn.

O.O.N. Doedd o ddim yn ddrwg chwaith.

O NA!

Ro'n i wedi gweithio MOR galed ar y cynllun hwnnw hefyd. Alla i ddim credu 'mod i wedi anghofio'i bostio fo.

Ro'n i'n edrych mor ddigalon, cynigiodd Carwyn dda-da i mi.

"Dim diolch," atebais.

(Fydda i BYTH bron yn deud na i dda-da.)

Wyt ti isio da-da?

Sblych

Gwdi Hwyl

Roedd Caban Haf B (sef ni) wedi bod yn RWTSH am ennill pwyntiau ar y siart CABAN TACLUS. Roedden ni i gyd yn anghofio gwneud ein gwelyau a phethau felly. Dwedodd Derec wrtha i fod ei gaban o (Gwanwyn B) yn trio bod yn WIRION o dwt oherwydd mae 'na WOBR ANFERTH am y caban taclusaf ar ddiwedd yr ŵyl. Oes 'na? Yn ôl Derec, Mrs Nap oedd yn gofalu am y wobr, "felly does wbod be fydd o."

A sôn am WOBRAU, dangosais y llythyr oddi wrth Delia i Derec – darllenodd y darn cyntaf a deud,

y Wobr

Abacws

198

 "Dwi mor falch nad oes gen i chwaer."

"Mae gwaeth i ddod, darllena'r dudalen arall," dwedais wrtho fo. Ysgydwodd Derec ei ben.

"O na! Sut wnest ti anghofio postio dy gynllun ar gyfer y gystadleuaeth crys-T?"

"Pwy a ŵyr. Jest...anghofio," atebais. (Dwi'n ryw amau mai dyma pam.)

Cynllun crys-T o'r golwg

LLANAST

Roedd Derec yn teimlo drosta i. Roedd yntau hefyd yn meddwl bod gobaith ennill gen i. "Falla bydd 'na gystadleuaeth arall i ti," meddai Derec, gan drio codi fy nghalon.

  "Ia, falla."

(Dwi'n cymryd arna fy mod yn iawn, ond dyma sut dwi'n teimlo...)

AAA!

199

Ond i fynd yn ôl at y caban (blêr dros ben) –

meddyliodd Caled mai jôc fawr fyddai

cuddio yn y cwpwrdd (oedd yn goblyn o wasgfa),

ac yna *NEIDIO* allan at bwy bynnag

fyddai'n agor y drws.

Ac yn yr achos yma – FI oedd hwnnw.

SYRPRÉIS!

Cefais coblyn o

FRAW,

Ond o leia wnes i ddim meddwl am

ANGHOFIO postio fy nghynllun ar gyfer y

gystadleuaeth crysau-T.

Dwedodd Norman fod arno isio bod yn ystlum

a chysgu a'i ben i lawr heno.

Meddai wrth bawb, "Mae'n reit gyfforddus."

(Doedd o ddim yn edrych yn gyfforddus iawn i mi.) Newidiodd Norman ei feddwl ar ôl i mi ddeud, "Mae dy wyneb di mor **GOCH** ag un Syr Preis wedi gwylltio."

Pan ddaeth Mr Ffowc i mewn i ddeud wrthon ni am y trêt coelcerth oedd gynnon ni heno, cyfrodd y pennau er mwyn sicrhau ein bod ni i gyd yn y caban. **Lle mae Caled?**

Pwyntiodd pawb at y cwpwrdd, lle roedd o'n cuddio eto. Agorodd Mr Ffowc y drws a *NEIDIODD* CALED allan ato fo, GAN WEIDDI,

BŴŴ!

Roedd pawb yn meddwl ei fod yn ddigri iawn (wel, pawb ond Mr Ffowc).

11

Dwi'n sgwennu hyn efo golau tortsh oherwydd mae BRYN yn SIARAD yn ei GWSG ETO!
Mae hyn yn dechrau mynd ar fy nerfau go iawn.

Mae o'n mwmblan rhywbeth am FALWS MELYS...

Dwi'n meddwl ei fod o'n ail-fyw'r trêt coelcerth gawson ni heno.
Roedd hi'n noson HWYLIOG, ac fe ddechreuodd popeth yn dda.

Mmmm, iym-iym, siocled poeth

ch ch ch ch

Dyma be ddigwyddodd...

Roedd ein capteiniaid tîm wedi trefnu coelcerth wych ac roeddan ni i gyd yn eistedd o'i chwmpas. AC fe roddon nhw siocled poeth i ni, a malws melys wedi'u tostio hefyd.

Roedd yr athrawon i gyd yn falch bod yr ŵyl yn mynd cystal.

Ffiw

Rhyddhad. Bron â gorffen

Roedd popeth, medden nhw, wedi gweithio'n dda. Dim damweiniau (croesi bysedd, Mr Ffowc), a doedd dim gormod o hiraeth am adre gan neb, a doedd neb yn sâl (doedd poen stumog Carwyn ddim yn cyfri).

Roedden ni i gyd yn cael amser gwych (efo 'mond un diwrnod arall ar ôl).

Dwedodd Mrs Williams wrth bawb am beidio â mynd yn rhy agos at y goelcerth. "Dan ni ddim isio i unrhyw beth gael ei LOSGI gan y gwrês."

203

"Fel ei mwstásh?"  sibrydais wrth Derec gan neud iddo dagu ar ei falws melys. Roedd pawb yn sgwrsio a mwynhau ein hunain pan bwyntiodd Marc Clwmp mwya sydyn at yr awyr a deud, "DRYCHWCH ar y SLUMOD yn HEDFAN draw fan'cw."

Doedd rhai o'r plant ddim yn hoffi'r syniad fod 'na slumod yn gwibio o gwmpas y lle. Ond yn ôl Jo y Capten Tîm, roedden ni'n lwcus o'u gweld nhw a dwedodd rhai ffeithiau diddorol wrthon ni.

Aeth ati i adrodd sawl **SLUM FFAITH**

mewn llais uchel, fel rhywun ar y TELEDU.

SLUM FFAITH UN: Dydi SLUMOD ddim yn ddall; maen nhw'n gallu 👁 👁 yn iawn. Felly mae'r 🦇 dywediad "yn ddall fel ystlum" yn nonsens llwyr.

SLUM FFAITH DAU: Mae un ystlum yn gallu bwyta dros chwe chant o drychfilod mewn awr – sy'n debyg i un person yn bwyta ugain pitsa 🍕 mewn diwrnod!

SLUM FFAITH TRI:  ydi'r gair am ystlum ifanc. 🦇 ← (Cyw bach ydw i)

(Dyna un dda – dwi am rannu honna efo Dad.)

Yna cliriodd Alun, Capten Tîm arall, ei wddw a gofyn a hoffen ni glywed cân wersyll arbennig?

(Pam lai?)

"Ymunwch yn y gân." Estynnodd Alun ei gitâr ac roedd o ar fin dechrau canu.

Pan agorodd ei geg, daeth y sŵn yma allan ...

 (Nid be roeddan ni wedi'i ddisgwyl.)

Gwaeddodd Jenni Jones,

"BE OEDD HYNNA?"

Dwedodd **eFA** ei fod yn swnio fel gwdihŵ.

Dyna fo eto.

Meddai Jo, "Mae hynna'n swnio fel tylluan frech, draw yn y coed acw. Pwy sy isio'i gweld hi?"

Pawb, oedd yr ateb.

Mr Ffowc gynhyrfodd FWYAF.

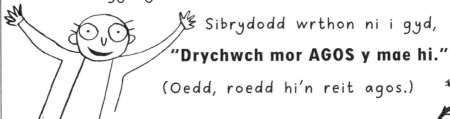

Sibrydodd wrthon ni i gyd, **"Drychwch mor AGOS y mae hi."**

(Oedd, roedd hi'n reit agos.)

Sleifion ni draw ati mor ddistaw â phosib. Pwyntiodd Jo at y dylluan oedd yn eistedd yn y goeden yn edrych arnon ni. Meddai Mr Ffowc,

"Mae hyn yn RHYFEDDOL. Drychwch ar ei phlu hi a'r llygaid mawrion yna. Dwi ddim yn credu 'mod i erioed wedi gweld llygaid mor fawr o'r blaen, ydach chi?"

Sibrydais wrth Derec,

"Wyt ti'n meddwl 'run peth â fi?"

Oedd, mi roedd o.

Athro   Tylluan

Bu heddiw'n ddiwrnod hir iawn – ac roedd gwylio'r tylluanod wedi ei neud yn un andros o hir.

Yn ôl yn y caban, ro'n i'n DAL i wrando ar Bryn yn CLEBRAN YN EI GWSG

(sblych)

pan feddyliais am ffordd wych o'i ddeffro fo heb i mi orfod codi o'm gwely.

Iap
iap
iap

Sef, dynwared y DYLLUAN glywson ni gynnau.

TWIIIIITTTT
TWHHWWWWW!
TWWIIIIITTTT
TWHHWWWWW!

Ro'n i'n swnio MOR wych, yn union fel y DYLLUAN, nes i mi ddeffro 👀 pawb arall yn y caban ... pawb ond Bryn.

TWWIIIIITTTT TWHHWWWWW!

Deffrodd Mr Ffowc hefyd, gan feddwl bod y dylluan yn ei HÔL. Cymerais arnaf fod y sŵn wedi dod o'r TU ALLAN. "Yr hen DYLLUAN 'na eto ... wnaeth hi'n 'neffro inna hefyd!" dwedais wrth bawb.

Dwedodd Mr Ffowc ei fod am fynd allan a SHIWIO'r dylluan i ffwrdd. Meddai wrthon ni, **"Ewch yn ôl i gysgu rŵan, pob un ohonoch chi."**

Iawn, syr.

wi ôl!

Dechreuodd neidr hosan Caled a Norman wibio o gwmpas y caban unwaith eto.

Ond y tro hwn, pan ges i fy mhump arni – roedd gen i ddefnydd GWELL O LAWER iddi, a llwyddais i ddeffro 👀 Bryn efo hi.

Ac mi ges innau noson o gwsg ...

Deffra Bryn

o'r diwedd.

Yn y bore, y person olaf i ddeffro oedd Carwyn. Wrth sbio arno fo'n *chwyrnu* efo'i geg yn agored, cefais hymdingar o syniad da.

Estynnais fy nhedi a theganau meddal Bryn a Lemiwel. Gosodon ni nhw i gyd yn dwt o gwmpas Carwyn ...

Arhosodd Carwyn fel'na nes i Norman roi ei FLANCED GYSUR yno. (Dwi'n amau mai ei HAROGL a'i ddeffrodd o.) Ond ro'n i wedi tynnu llun gwych ar gyfer fy nyddiadur...

Heddiw oedd ein diwrnod OLAF o weithgareddau. (Yn ôl Derec caiacio oedd ar y gweill – rhywbeth reit debyg i ganŵio.)

Bydden ni'n dychwelyd adre yn y pnawn ac ro'n i (fymryn bach) yn ddigalon.

Wwp!

Ia!

Ffwrdd â chi!

Wedi deud hynny, doedd y capteiniaid tîm ddim yn edrych yn drist o gwbwl. Yn wir, o'u gweld nhw mor OREIDDGAR a SIRIOL, basa rhywun yn meddwl eu bod nhw'n falch o'n gweld ni'n mynd.

Cyn i ni gael caiacio ar y llyn, aeth yr arweinwyr â ni i'r pwll nofio er mwyn dangos i ni ryw 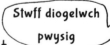 ynghyd â sicrhau rhai o'r plant

Stwff diogelwch pwysig

"nad oes yna siarcod nac ANGENFILOD yn y llyn." Roedd plant Ysgol Plas Mawr yno'n barod

ac yn gneud i bob dim edrych yn hawdd
(doedd o ddim).

Unwaith roedden ni yn y caiacs, dwedodd Carwyn fy mod i yn ei ffordd drwy'r amser.

Ond y fo oedd yn siglo dros y lle i gyd. Cymerodd sbelan i mi ddeall sut i rolio'r caiac a phadlo mewn llinell syth. Dwedodd Siani'r Capten Tîm wrtha i wedyn, "Da iawn ti, Twm, roedd hynna'n HOLLOL FFANTASTIG. Rwyt ti'n barod i fynd ar y llyn." Newyddion da - a hynny reit yng ngŵydd Carwyn hefyd - ac roedd o'n edrych mor falch drosta i.

Roedd y llyn yn FUTRACH nag yr o'n i'n ei gofio, efo hwyaid, adar a dail yn nofio ar ei wyneb.

Roedd yn rhaid i Carwyn aros ei dro a doedd o ddim yn hapus. Padlais drosodd at ochr arall y llyn a reit yn ôl i'r pen bas. Roedd Carwyn yn gweiddi arna i FRYSIO! Felly penderfynais fynd o gwmpas unwaith eto.

Troais y caiac rownd yn ofalus ac ro'n i ar fin ailgychwyn pan aeth y caiac yn SOWND.

Mwya'n y byd o badlo ro'n i'n ei neud, lleia'n y byd ro'n i'n symud (poen, a deud y lleiaf). Dim ond pan ddwedodd Jo'r Capten Tîm wrth Carwyn:

"Paid â chydio yng nghaiac Twm!"

SOWND

y sylweddolais be oedd y snichyn yn ei neud!

214

Pan ollyngodd Carwyn ei afael,
SAETHODD y caiac ymlaen.

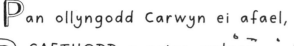

fel ROCED...

Doedd Carwyn ddim wedi
disgwyl hyn. Collodd ei gydbwysedd – a syrthio
i mewn i'r llyn ac i ganol yr hwyaid – a gafodd
fwy o SIOC na fo.

Yn ffodus, roedd Mrs Williams yno i dynnu
ychydig o luniau CYFFROUS ar gyfer cylchlythyr
yr ysgol.

Ie, byddai dewis
gwych ganddi
hi'r tro yma.

Fi enillodd

Y Cyntaf

Ar ôl y caiacio soniodd Mrs Nap mai criw o blant Ysgol Plas Mawr gafodd y WOBR gyntaf am y Caban Taclusaf (nid fod hynny'n fawr o syndod). Y SIOC fwya oedd deall eu bod nhw wedi ennill barryn ANFERTH o

siocled.

"Taswn i'n gwbod mai dyna be oedd y wobr, mi faswn i wedi gneud mwy o ymdrech," dywedais wrth Caled wrth i ni gerdded yn ôl i'r caban er mwyn paratoi i fynd adre.

Llwyddais i bacio fy mag yn union fel y dadbaciais o (chymerodd hynny ddim llawer o amser). Roedd o braidd yn drymach yn mynd adre, diolch i'r tyweli a'r crysau-T tamp.

STWFFI

Awgrymodd Norman ein bod ni i gyd yn eistedd yng nghefn y bws y tro hwn.

"Mae'n fwy o hwyl." 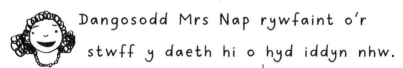 Felly dyma ruthro er mwyn BACHU'r seddau cefn.

Roedd Mrs Nap a'r capteiniaid tîm wedi mynd o gwmpas y cabanau i gyd er mwyn SICRHAU nad oedd dim byd wedi'i adael ar ôl.

Ar y bws gwaeddodd pawb hip-hip-hwrê i'r

"CAPTEINIAID TÎM a'r ATHRAWON!

Hip hip hwrê"

Dangosodd Mrs Nap rywfaint o'r stwff y daeth hi o hyd iddyn nhw.

"Pwy sydd â brwsh dannedd â chath arno?"

Un Jenni oedd o.

"Sanau gwely fflyffi?"

 Dwedodd Norman mai fo eu piau nhw.
Yna daliodd Mrs Nap grys-T anghynnes
ei olwg i fyny, a chrys chwys go
ffiaidd. (Doedd ar neb eu hisio nhw.)

"Ac yn olaf – ond yn bwysicaf – pwy sy
biau'r tedi bach hyfryd yma, 'ta?"

"Wwwwww," meddai rhai o'r plant.

Pwniodd Derec fi a deud,

"D'un di ydi o yntê, Twm."

(O, na – roedd o'n iawn hefyd.)

Codais fy mraich yn araf gan

fwmian, "Fi bia fo."

"Pwy ddwedodd hynna?"

"Fi, Mrs Nap..."

"Ai TWM sy'n siarad? Ai dy dedi bach DI ydi hwn, TWM?"

 "Ia ... sblych."

Wnes i rioed feddwl y basa rhywun yn gallu codi mwy o gywilydd arna i ynglŷn â fy nhedi.

A wyddoch chi be wnaeth hi nesa? Gwnaeth Mrs Nap i fy nhedi chwifio'i bawen ar bawb wrth iddi gerdded yr holl ffordd ar hyd y bws. REIT i'r cefn lle ro'n i'n eistedd.

CHWIFIO

 Diolch, Mrs Nap

(Falla nad oedd eistedd yn rhes gefn y bws yn syniad mor wych wedi'r cwbwl.)

Ond o leiaf mi ges i ei ddefnyddio fo fel gobennydd weddill y daith.

(219)

Y daith adre

Ar y ffordd adre, cafodd rhywun gip ar fws Ysgol Plas Mawr, a oedd wedi aros wrth ochr y ffordd. Wrth i ni yrru heibio gan chwifio'n dwylo, sylwais nad oedd golwg rhy iach ar rai o'r plant.

Meddai Mr Ffowc, **"O, diar – mae'n edrych fel petaen nhw wedi bwyta gormod o'r siocled enillon nhw."**

Caban twt + siocled + bws = ych.

Dwedais wrth Derec, go brin y basa'r siocled wedi fy ngneud I'N sâl tasan ni wedi'i ennill o.

Wrth i ni nesáu at adre, dechreuodd pawb gynhyrfu ychydig bach.

Do'n i ddim yn siŵr pwy fasa'n dod i 'nghyfarfod i. Un ai Mam neu Dad neu falla'r ddau?

Ond yn bendant NID Delia.

DOS O'MA

Roedd yn rhaid i'r bws yrru heibio i'r ysgol yn gyntaf cyn troi a pharcio'n daclus y tu allan.

Roedd hyn yn rhoi'r cyfle gwych i ni allu gweld pwy oedd yno'n aros amdanon ni. Gwelodd Derec Rŵstyr yn gyntaf, ac yna ei dad. Do'n i ddim yn gallu gweld neb eto.

Pan ddringon ni allan o'r bws, roedd yn amlwg i bawb fod Rŵstyr yn falch iawn o weld Derec.

Dywedais wrth dad Derec nad o'n i isio lifft, gan fod Mam a Dad yn dod i fy nôl i.

Meddai Derec, "YMARFER BAND ddydd Sul?" wrth iddo adael. Syniad da, cytunais.

(Mi sgwenna i hwnna ar y *calendr* ar ôl cyrraedd adre.) Doedd dim golwg o Mam na Dad yn unlle.

Fesul un, diflannodd y plant eraill, fy ffrindiau, eu rhieni a'u teuluoedd nhw a 'mond y fi oedd ar ôl.

Meddai Mr Ffowc, **"Mi roddaf ganiad i dy rieni. Tyrd â dy fag efo ti, mi gei di aros y tu mewn i'r ysgol. Dwi'n siŵr fod rheswm da pam eu bod nhw'n hwyr."** (Gobeithio.)

Roedd Mrs Mwmbl yn swyddfa'r ysgol, ynghyd â Syr Preis. Gofynnodd Syr Preis a gefais i amser da.

"Do diolch, syr, mi ges i amser grêt, tan rŵan."

Daeth Mr Ffowc yn ei ôl a deud fod rhywun ar eu ffordd i fy nôl i **"yn syth bìn. Mi fyddan nhw yma mewn pum munud. Roedden nhw'n meddwl mai fory roeddet ti'n dod yn ôl."** (Grêt.)

Dwi adre

Roedd yn rhaid i mi aros yn stafell yr ATHRAWON (efo fy nhedi ar fy nglin), yn disgwyl i rywun alw amdana i.

Edrychais allan drwy'r ffenest bob hyn a hyn gan ddisgwyl gweld Mam a Dad yn cyrraedd yn y car. Felly roedd yn

SYNDOD MAWR i mi weld...

Y FFOSILIAID

Haia! Twm!

Croeso adre, Twm!

yn dod FEL *FFLAMIAU* am yr ysgol ar eu sgwter. (Doedd o ddim mor gyflym â hynny – ond roedd o iddyn nhw.)

Chwifiodd y ddau eu dwylo arna i o fuarth yr ysgol.

Dwedais wrth Mr Ffowc, "Mae Taid a Nain yma." Felly aeth o â mi i lawr y grisiau i'w cyfarfod nhw.

Allan yn siopa roedd Mam a Dad, yn ôl Taid.

"Roedd dy fam yn deud bod RHYWUN wedi sgwennu'r dyddiad anghywir ar y *calendr*. Roedden ni i gyd yn meddwl mai fory roeddet ti'n ôl adre," meddai Nain.

Chwarae teg i'r **FFOSILIAID** am ddod i'm nôl i. Ond wir, doedd dim angen iddyn nhw fod wedi dod â'r baneri.

Croeso adre, Twm!

(Dwi'n falch rŵan eu bod nhw'n hwyr – doedd neb arall yma i'w gweld nhw.)

Taith go araf oedd y daith adre, gan fy mod i'n cerdded wrth ochr y sgwter.

Atgoffodd Nain fi fod Dad wedi bod wrthi'n brysur yn peintio ac addurno fy stafell tra o'n i i ffwrdd. Ro'n i wedi ANGHOFIO am hynny!

"Mae'n edrych yn wahanol," ychwanegodd Taid, ac roedd hynny'n gneud i mi boeni, braidd. "Gwahanol" ydi'r gair y byddaf yn ei ddeud pan fydda i'n methu â meddwl am air gwell.

Ar ôl cyrraedd adre, felly, es yn syth i'm stafell i weld be yn union roedd "gwahanol" yn ei olygu.

Ar wahân i le roedd DELIA wedi bod yn poitsio ...

Roedd fy stafell yn edrych yn **FFANTASTIG** a llawer iawn twtiach hefyd. Gwyn oedd y waliau, ond ar un wal roedd Dad wedi creu BWRDD DU -  wal GYFAN i mi ddŵdlo arni.

← sialciau

Gwych, neu be?

Doedd Mam a Dad ddim yn ôl eto, felly cefais wared ar neges "Croeso adre" Delia a phenderfynu ail-greu rhai o'm hoff ddigwyddiadau o'r ŵyl, er mwyn dangos iddyn nhw ar ôl iddyn nhw ddod adre.

Roedd gen i ddigonedd o ddewis.

Dos o'ma Twm

Ha! Ha!

Roedd yr ŵyl yn grêt, ond mae'n dda cael bod adre!

Ha Ha

Y DIWEDD

Mae gen i chydig o blasteri'n weddill o hyd – da iawn ar gyfer eu glynu nhw i du ôl fy nyddiadur.

Gall tri diwrnod deimlo fel amser hir i fod oddi cartre (er 'mod i'n gwbod nad ydi o mewn difri).

Ond mae'n grêt bod yn ôl a gneud pethau dwi ddim wedi gallu'u gneud ers sbelan, fel:

* chwarae efo Rŵstyr

* cael y stafell ymolchi i mi fy hun. (Dydi Delia ddim o gwmpas rhyw lawer, sy hefyd yn beth da.)

* Bod yn ôl yn fy ngwely fy hun, a chael llonydd i gysgu heb gael fy neffro gan SLUMOD na neb yn clebran. (Dwi ddim yn colli hynny o gwbwl.)

A digwyddodd chydig o bethau eraill tra o'n i yn yr ŵyl.

Llwyddodd Mam i gael gwbod PRYD yn union roedd y ddau gefnder yn dod i aros.

Sef y penwythnos YMA.

(Roedd yn rhaid iddi gael cip slei ar galendr Anti Alis er mwyn cael gwbod.)

Ac aeth yr arwydd YMA i fyny drws nesa, ac mae hyn wedi gneud Mam yn FWY BUSNESLYD nag erioed. Mae hi'n ysu am gael gwbod pwy sy'n dod yno i fyw. Meddai hi, "Gobeithio y cawn wybod yn fuan."

(Dwi ond yn GOBEITHIO nad yr hen hogan bowld honno efo'i hystumiau.)

Mae Dad yn deud falla, pan ddaw'r ddau gefnder yma, yr awn ni allan i fwyta am unwaith ...

"Fel math o drêt arbennig." (IE!)

"Mae bwyty newydd wedi agor yn y dre, ac mi fydd yn wych ar gyfer y ddau gefnder hefyd," ychwanega.

"Pam fydd o'n wych ar gyfer y cefndryd?" gofynnaf.

"Lle 'hynny y medrwch ei fwyta' ydi o."

Mae'n swnio fel fy math innau o fwyty hefyd.

wafferi

Iym

CINIO
efo'r Cefndryd

Mae Anti Alis ac Yncl Cefin am ollwng y cefndryd yma'n gynnar IAWN fore heddiw, felly mae Mam a Dad yn rhuthro o gwmpas yn tacluso'r tŷ.

Dwi'n trio gwylio rhywfaint o deledu cyn iddyn nhw gyrraedd, ond mae Mam yn mynnu waldio'r clustogau a hwfro o'm cwmpas, sydd yn rêl poen.

Pan maen nhw'n cyrraedd, dywed Anti Alis wrth Mam, "Mae'r tŷ yma'n edrych MOR daclus – gobeithio na wnest ti lanhau'n arbenning ar ein cyfer ni!"

Ac meddai Mam, "NADDO, wrth gwrs, rydan ni wastad yn twtio ar benwythnos."

(Sy'n newyddion i mi.)

232

Af â'r ddau gefnder i fyny'r grisiau i weld fy wal ddŵdlo newydd. Maen nhw'n ei hoffi'n FAWR.

"Dowch, tynnwch lun o rywbeth," meddaf fi wrthyn nhw.

"Llun be, felly?" gofynna'r ddau.

Awgrymaf eu bod nhw'n tynnu llun o ANGHENFIL neu falla lluniau digri o'u teulu.

"Dwi'n gneud hynny drwy'r amser."

Dydi eu dŵdls nhw ddim yn cael llawer o groeso gan Anti Alis nac Yncl Cefin pan ddôn nhw i fyny i ddeud ta-ta. Wrth iddyn nhw adael, meddai Dad wrth Yncl Cefin, "Rhaid i ti gyfadde, roedd o'n reit debyg i ti, Cefin."

(Mi roedd o.)

Gofynnaf i'r ddau gefnder a ydyn nhw awydd 🙂
snac? (Fel taswn i ddim yn gwbod yr ateb yn barod.)

Awn i lawr i'r gegin i weld be sy yno i'w
fwyta. "O – drychwch," dywedaf, gan
smalio fod hyn yn syrpréis.
"Mae gynnon ni fananas – llwythi
ohonyn nhw, helpwch eich hunain."

Diolch byth, maen nhw'n gneud hynny,
sy'n helpu i gael gwared arnyn nhw.
Wir, dwi wedi cael hen lond bol
ar fananas.

Mae Dad yn eu holi am yr ysgol ac am be
maen nhw'n ei neud, ac yn waeth fyth,
"Sut fath o gerddoriaeth dach chi'n hoffi,
felly, hogia?" Sy'n codi cywilydd arna i, gan nad
ydi o wedi clywed am NEB maen nhw'n eu henwi.

Ac i goroni'r cwbwl, mae Mam yn gofyn os
ydan ni isio gneud bisgedi? BISGEDI!

"AM! Fyddan nhw ddim isio gneud bisgedi ... yn na fyddwch?"

 "Pam lai?" meddan nhw. "'Dan ni'n hoffi bisgedi."

(Dim syndod o gwbwl.)

Mae Mam yn estyn y cynhwysion ac awn ati i neud bisgedi. 'Dan ni'n gneud tipyn o lanast, hefyd, ond does dim rhaid i mi lanhau ar f'ôl gan fod y cefndryd yma.

Mae Delia wedi ymddangos o rywle ac yn hofran o gwmpas, gan drio helpu ei hun i un o'r bisgedi ffresh, cynnes. Felly dywedaf wrthi ...

"Os wyt ti isio bisgedan, yna rhaid i ti DDEUD, 'Plis ga i fisgedan, Twm, fy mrawd hyfryd?' - ac falla mi wna i adael i ti gael un."

Am weddill y diwrnod dwi'n cadw'r cefndryd yn brysur drwy wylio ffilmiau (nid rhai brawychus) efo nhw.

Yna awn drws nesa i weld Derec a mynd â Rŵstyr am dro.
Sy'n hwyl.

Medda Derec, "Mae dy gefndryd yn betha tal ar y naw, yn dydyn nhw?"

"Ti'n meddwl?" meddaf fi wrth i ni gerdded y tu ôl iddyn nhw.

MYND ALLAN

Rydan ni'n paratoi ar gyfer mynd i'r bwyty ond mae'n rhaid i Dad neud ei berfformiad arferol o ruthro o gwmpas y tŷ yn diffodd y switsys.

A ninnau'n eistedd yn y car, yn barod i fynd, mae'r tebot yn cofio am switsh mae o wedi'i anghofio. Medda Mam, "Tyrd 'LAEN, Ffranc, mi fyddwn ni'n hwyr!" Rydw inna isio iddo fo frysio gan ei bod hi braidd yn dynn yng nghefn y car.

Mae'r bwyty'n brysur IAWN erbyn i ni gyrraedd, gyda llwythi o deuluoedd yn llwytho'u platiau efo bwyd. Cawn ein tywys i fwrdd, a deall mai maint ein plât sy'n penderfynu faint bydd y pryd yn ei gostio.

HYNNY Y MEDRWCH EI FWYTA

237

Dywed Dad y cawn ni i gyd blât CANOLIG.
"Bydd hynny'n fwy na digon, faswn i'n deud."

bach canolig mawr
O O O Mae CYMAINT o ddewis o fwyd,
dwi ddim yn gwbod lle i ddechrau!

Ond mae'r cefndryd i'w gweld
yn gwbod be i'w neud.

pasta

Mae gen i'r teimlad rhyfedd bod rhywbeth
yn gyfarwydd am y lle yma, er fy mod i'n
gwbod nad ydw i wedi bod yma o'r blaen.
Helpaf fy hun i ginio blasus o bob dim dwi'n
ei hoffi.

Mae Mam yn trio ychwanegu mwy o lysiau ar
fy mhlât, gan achosi i rywfaint wwps
o'r bwyd golli dros y bwrdd.
Meddai hi, "Dim ots - wwps!

Mi ofynnaf i'r weinyddes ddod i'w glirio fo."
Ond dydi'r weinyddes ddim isio
dod aton ni.

sblych

gweinyddes

Mae hi hyd yn oed yn troi'i chefn ar
Mam gan geisio'i hanwybyddu. Rhaid i Mam
ddod o hyd i rywun arall i helpu yn ei lle hi.

Meddai Mam, "NEIS IAWN wir. Wel,
fydda i ddim yn gadael tip i honna!"

Dydi plât Dad ddim yn rhy llawn. Mae o'n
atgoffa Mam eto mai teml ydi ei gorff, sy'n
gneud i'r ddau ohonon ni rolio'n llygaid.

Ond mae platiau'r ddau gefnder yn stori arall.

Maen nhw'n cymryd **HYDOEDD** i'w
llwytho nhw mor ofalus ag y medran nhw, efo
cymaint o fwyd â phosib. Mae'n debyg iawn i
dŵr uchel. Pe na phetai rhywun wedi taro'n
eu herbyn yn ddamweiniol, mi fasan nhw wedi
llwyddo i gyrraedd y bwrdd hefyd.

Ond wnaethon nhw ddim.

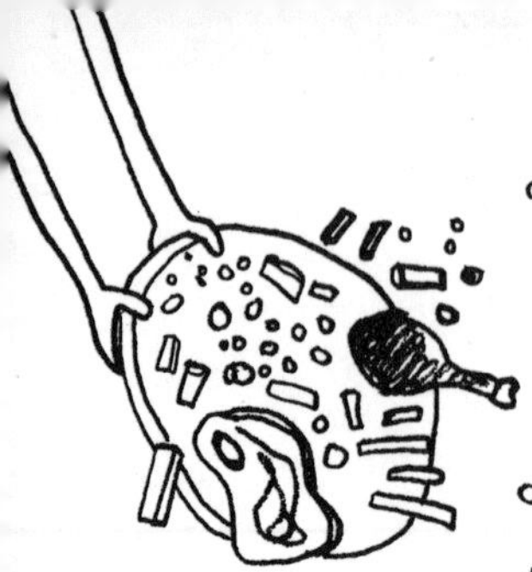

NA-A!
Fe wylion ni
DDAu fynydd anferth
o fwyd yn dymchwel
dros y llawr, y byrddau,
a thros rai o'r cwsmeriaid
eraill hefyd.
A doedden nhw
ddim yn hapus.

Roedd y bwyty cyfan

yn rhythu ar y bwyd ac arnon ni.

°Sôn am GYWILYDD. Yn enwedig i un weinyddes

a gafodd ei hanfon i lanhau'r llanast ...

... o leia rydan ni i gyd yn gwbod lle mae Delia'n gweithio rŵan. A lle ro'n i wedi gweld yr het 'na o'r blaen! (Penderfynodd Mam adael tip iddi wedi'r cwbwl.)

Ar ôl i Delia gyrraedd adre yn ddiweddarach dwedais wrthi fod y bwyd yn hyfryd, eiliad cyn iddi GLEPIAN drws ei hystafell wely arnaf.

Pan ddaeth y bore roedd hi'n dal i fod

yn **LLOERIG**.

"Dydi'r teulu CYFAN yma'n
ddim byd ond HUNLLEF.
A dach chi'n METHU DEALL PAM
nad o'n i isio deud wrthoch
chi lle ro'n i'n gweithio!"

Mae ganddi bwynt. Er, rhaid deud, roedd yn
reit ddigri. Wnaeth y cefndryd ddim helpu ryw
lawer drwy ail-fyw'r holl hanes ac adrodd y stori
wrth Anti Alis pan ddaeth hi acw i'w nôl nhw.
Mi gawson nhw benwythnos braf, medda hi, ond
roedd swing golff Yncl Cefin braidd yn gam felly
mae o adre rŵan gyda chric yn ei wddw.

(245)

gwddw
poenus

Pan gyrhaeddais i adre o'r ysgol heddiw, roedd y llythyr YMA'n aros amdana i.

At sylw:
Twm Clwyd,
24 Ffordd y Castell,
Cymru

ROC NAWR

Ni d unrhyw hen lythyr chwaith – mae hwn oddi wrth y cylchgrawn **ROC NAWR**. Gwn fod hyn am swnio'n hollol wallgo, ond dwi'n difaru BOB DIM cas ddwedais erioed am gael chwaer biwis.

Gallaf ddeud a'm llaw ar fy nghalon, mai AR Y FOMENT (falla bydd petha'n newid mewn munud), fy chwaer DELIA ydi'r chwaer orau drwy'r byd i gyd yn grwn, ERIOED. Dwi hyd yn oed isio rhoi coblyn o FWYTHAU iddi a deud diolch – diolch – diolch – wrthi am fod mor briliant a

HOLLOL FFANTASTIG

(am y rhan fwya o bethau).

Oherwydd mae'r llythyr oddi wrth **ROC NAWR** yn deud fy mod i wedi ENNILL y gystadleuaeth dylunio crys-T! Felly RŴAN bydd y **3 DIWD** yn printio ac yn GWISGO fy nghynllun i. Mi fydda i'n cael crysau-T am ddim hefyd. Dwi wedi CYNHYRFU cymaint, prin y gallaf anadlu. Dwi wedi bod yn neidio o gwmpas y stafell ac eisoes wedi bod drws nesa i ddeud wrth Derec, ac mae yntau wedi cynhyrfu bron cymaint â fi.

Felly'r RHESWM pam dwi'n gorfod bod yn glên efo Delia (cyhyd ag y gallaf) ydi am iddi ddod o hyd i'm cynllun, hwnnw ro'n i wedi anghofio amdano, ac wedi'i bostio drosta i. Cyrhaeddodd fy nghynllun mewn pryd ar gyfer y dyddiad cau.

DWI MOR HAPUS!

Ond mae Delia braidd yn anghyfforddus pan dwi'n bod yn glên efo hi.
"Mae'n teimlo'n od. Rho'r gora iddi, wnei di?" meddai wrtha i pan dwi'n gneud panad iddi.

Yr unig beth mae ar Delia ei isio gen i ydi:

1. Addewid na fydda i (na neb arall o'r teulu) yn mynd ar gyfyl y bwyty YNA eto pan fydd hi yno. (Iawn efo fi.)

2. Un o'm crysau-T pan ga' i nhw. (Dim problem.)

3. I mi gadw draw o'i stafell hi.

(Iawn, mi wna i hynny.)

4. I mi roi'r gorau i sgwennu caneuon gwirion amdani hi. (Er nad ydyn nhw'n wirion, yn fy marn i.)

Be wyt ti wedi'i roi ynddo?

Mae Mam a Dad yn deud mor hyfryd ydi ein gweld ni'n tynnu ymlaen mor dda. Ac meddai Delia, "Peidiwch â phoeni, wneith o ddim para'n hir."

(Sy'n hollol wir, mae'n siŵr.)

Y diwedd.

Gwahanol bethau i'w gwneud efo het Delia

Potyn dal pensiliau

Peth dal wafferi

Gêm farblis

Peth dal pryfaid cop

Dalia hi!

Tegan i Rŵstyr

Ydych chi wedi darllen POPETH sy ar stondin Twm Clwyd?

Awydd gneud dŵdl?

Rhowch dro ar gêm ddŵdl Twm Clwyd!

Ewch i: www.scholastic.co.uk/tomgatesdoodles

http://tomgatesworld.blogspot.co.uk/

Sut i wneud
Dŵdl BANANA

Cymerwch fanana a phren coctêl
(byddwch yn ofalus efo'r blaen miniog).

Yn ofalus gwthiwch y pren i mewn i groen y
fanana – ddim yn rhy ddwfn.

Bydd y twll yn troi'n ddu a buan y byddwch
wedi gwneud dŵdl fel hwn.

Bwytewch y fanana yn weddol fuan ar ôl gwneud eich
campwaith, cyn iddi fynd yn dywyllach a throi'n
a thywyllach
slwtsh afiach!

Wnaethoch chi ddod o hyd i bob un anghenfil yn y llyfr?

Dwi'n HOLLOL **W**YCH
(am rai pethau).

FEL darlunio **ANGHENFIL**

Llysnafedd
anghenfil

OND dydw i ddim mor dda am ddarlunio
DWYLO realistig
na thraed (sy'n anodd)
Dyma lun o Carwyn efo dwylo
ANGHENFIL â thraed chwaden.

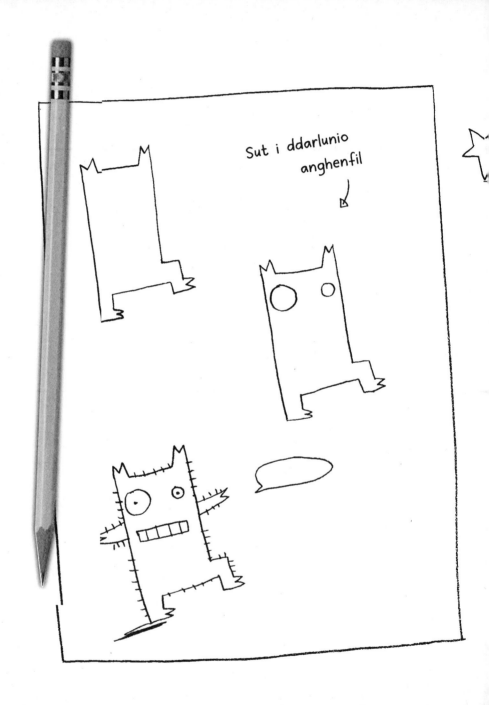

Ro'n i wedi anghofio popeth am ein cymdogion newydd nes ...

(I'w barhau...)